151 零售业精英培训教程

店铺销售的7个黄金法则

刘永中　金才兵　主编

众行管理资讯研发中心　著

南方日报出版社

图书在版编目（CIP）数据

店铺销售的7个黄金法则 / 刘永中，金才兵主编，众行管理资讯研发中心著. —广州：南方日报出版社，2005
ISBN 7-80652-400-2

Ⅰ.店…　Ⅱ.①刘…②金…③众…　Ⅲ.商店—商业经营　Ⅳ.F717

中国版本图书馆CIP数据核字（2005）第001416号

店铺销售的7个黄金法则

刘永中　金才兵　主编　　众行管理资讯研发中心 著

出版发行：南方日报出版社
地　　址：广州市广州大道中289号
电　　话：（020）87373998-8502
经　　销：全国新华书店
印　　刷：广东新华印刷厂
开　　本：787mm×1092mm　1/16
印　　张：10.625
字　　数：255千字
版　　次：2005年1月第1版第1次印刷
定　　价：20.00元

投稿热线：（020）87373998-8503　读者热线：（020）87373998-8502

网址：http://www.nanfangdaily.com.cn/press　http://www.southcn.com/ebook

序

几乎是在眨眼之间，我们就以一个漂亮的手势告别了物质短缺，步入恣意消费的春天。大大小小形形色色的商场、超市、店铺如雨后春笋般，迅速遍布各城市集镇的大街小巷。零售业，就像一个古老的新贵，成为我国近年来最具生气、发展最快的行业之一。

但是，这个最具生气的行业很快就成了竞争最激烈的行业。海外零售大鳄纷纷抢滩登陆。本土零售大腕不断开疆拓土，攻城略地。广大的中小店铺不得不在越来越局促的空间中求生存，稍有不慎，就会面临被踢出局的命运。与此同时，商品迅速从卖方市场步入买方市场，昔日谦卑的消费者变成了挑剔的上帝。门店经营者实质上变成了可怜的小媳妇，随时可能被顾客抛弃：你的商品或服务不好，我就移情别恋，用脚来投票，到你的竞争对手那儿去；你让我感觉不开心，我就把你休了，永远抛弃你！

在此种情形之下，门店经营者和管理者们无不急切地希望自己“武功”精进，掌握提高门店经营业绩的不二法门，避免被淘汰出局。他们看各种《店铺经营大全》、《店长手册》，然后亦步亦趋，其结果却是让自己的店铺和大街上所有的店铺一样，戴上同样的脸谱，缺乏个性与创意，与高额的利润无缘。于是他们明白了，这些看似大而全实则虚而空的门店经营管理书籍的功用仅限于引导新手学习开店业务，却无助于将新手变为高手。

真正的经营高手懂得透过现象看本质，掌握门店经营的精髓而不照搬别人的做法。那么，门店经营的精髓是什么？很显然，钱是从顾客的口袋里掏出来，抓不住顾客，一切都等于零。怎样才能抓住顾客呢？研究他们的需求，给他们想要的！美国零售业巨头彭尼公司的首席执行官阿伦·奎斯通说过：“请记住，零售业的所有都和人有关：预计人们的需要，知悉他们的生活方式、喜好和期望，找时间去观察他们做些什么和怎么做……尝试明白他们。”

正是基于这样的认识，我们编写了本书，试图站在购物学和消费者行为学的高度，将顾客“看穿”。书中详尽地剖析了顾客种种不为人知的心理和行为习惯，研究了顾客的消费形态在今时今日的变化，归纳了不同顾客群的消费特征。

在此基础上提炼出门店经营的7条黄金法则。这7条法则看似简单，却能纲举目张，将门店经营的理论与实务一网打尽："不推搡法则"和"不等待法则"谈论的是人性化的卖场设计和管理；"解放顾客的手"从关心顾客的角度谈论购物车（篮）以及休息区、座位的设置；"抓住顾客的购物习惯"通过揭示顾客的行走习惯、眼睛的秘密、隐秘的心理以及各种感官需求，分解商品陈列；"让所有走进商场的人都行动起来"则剖析了男人、女人、老人和青少年4种消费群体的消费特征，提醒商家细分市场；"营造更多销售机会"和"瞬间感受"讲述的是各种销售技巧和完美服务。

本书的新意在于，在讲述门店销售的每一个诀窍时，都没有进行一厢情愿的"虚构"，而是不厌其烦地解剖顾客这只"麻雀"，在描述现象的基础上提出相应的解决方案。全书始终将分析顾客需求放在首位，提倡人性化的卖场设计和商品陈列，提倡差异化的销售技巧和服务理念。此外，避免重复那些人所共知的陈词滥调，只拣最新颖最有用的观点来与读者分享。在风格上，本书追求轻松愉快。语言大都是描述性的，浅显生动，时不时幽上一默。案例一个接一个，丰富、有说服力。漫画如星星点点的野花般点缀其中，既更好地表现了书的内容，又有"点睛"和"养眼"的作用……

现在，请出发吧，逐一去捡拾这些法则，或许它们真的是黄金呢！

众行管理资讯研发中心

2004.12

目　录

法则 1　不推搡法则

1. 出入口 / 3
出入口尽可能分开 / 3
数量和位置要合理 / 4
足够宽敞 / 5
摆放打折商品要三思 / 6
及时清理出口附近的购物车 / 6
2. 过渡区 / 7
看看刚刚走进商场的购物者 / 7
正确使用过渡区 / 8
3. 通道 / 10
通道宽度 / 10
及时去除通道上的障碍物 / 11
回形设计太多不是好事 / 13
去除卖场的棱角，可拓宽通道 / 14
当心地面凸起的布线 / 14
别制造死角 / 14
4. 收银台 / 15
加长货架与收银台间的距离 / 15
收银台前的购物车和小商品 / 16

法则 2　解放顾客的手

1. 卸掉累赘去购物 / 19

把累赘物品通通扔进存储箱 / 19
傻瓜式的存储程序说明 / 20
几种存储箱 / 20
卫生、安全和合理的高度 / 21
2. **购物车/ 篮** / 23
既然他们是来购物的，那就给他们一辆购物车吧 / 23
散落各处的购物篮 / 24
在购物车/ 篮上花点心思 / 25
保持洁净 / 27
铁制的购物车容易生锈 / 28
允许顾客把购物车推到他们需要的位置 / 29
流动的广告 / 30
3. **座位** / 30
拎东西久了，手会不舒服 / 31
给座位区一个相对独立的空间 / 32
商场外边的座位 / 33

法则 3　抓住顾客的购物习惯

1. **顾客的行走习惯** / 37
向左走，向右走 / 37
“磁石点”理论 / 38
倾斜的陈列 / 39
2. **眼睛的秘密** / 40
利用好最佳视线 / 40
人们总是向前看 / 41
爱看商品的正面 / 43
从上到下的打量 / 44
3. **隐秘的心理** / 44
容易被便宜的商品打开钱袋子 / 45
喜新厌旧 / 45
多乎哉，不多也 / 46

他们看到了什么 / 47
止痛剂的销量为何不佳 / 48
“尖端恐怖症”及其他 / 49
4. **决定陈列的感官需求** / 50
别把顾客当盲人 / 50
陈列中的几何学 / 51
模仿音乐的节奏感 / 53
伸手可取法则 / 54
被破坏的商品 / 55
飘香的超市 / 56
让购物者试用商品 / 58
5. **连环套陈列** / 59
相关陈列：啤酒与尿不湿 / 59
连环套逻辑 / 62
传递出故事性 / 63

法则 4　让所有走进商场的人都行动起来

1. **男人的购物领域** / 67
情人节的礼物 / 67
买拖布的男人 / 68
闯进美容领域的男性用品 / 69
“房子、汽车，我说了算！” / 70
单身的男人们 / 71
新时代的爸爸 / 71
喋喋不休＝讨厌 / 73
男女购物时间的对比 / 74
2. **女人怎样购物** / 74
男女购物态度不同源自远古 / 75
情绪性消费 / 75
挑剔的性格 / 76
诱人的购物环境 / 77
当男人开始不耐烦的时候 / 78

从家庭妇女到职业女性 / 79
当女人需要油漆时 / 80
女人与电脑 / 81
3. **假如皱纹还没那么深，你就还年轻** / 82
人体的皮肤在 30 岁开始老化 / 82
摆在货架底端的物品将老年顾客拒之千里 / 83
阅读吃力的小字号 / 84
颜色反差尽量大点 / 85
享受退休金的年龄 / 85
老人的休闲晚年 / 87
教奶奶给孙子买玩具 / 88
务实——明星对他们没有多大用处 / 88
4. **青少年的消费观** / 90
有一笔固定的零用钱 / 90
对科技的兴趣 / 91
追求名牌 / 92
标新立异 / 93
朋友的意见更重要 / 94
孩子在家庭购物中的影响力 / 95

法则 5 营造更多销售机会

1. **广告牌** / 99
一副好招牌 / 99
你一秒钟读几个字 / 102
他没看见 / 102
他很闲 / 103
逻辑顺序 / 104
2. **原来有如此多的窍门** / 105
一张优惠券 / 105
有礼品送 / 106
竞赛和抽奖——娱乐又刺激 / 106
限时折扣，快来抢购 / 107

常客优惠，多多惠顾 / 107
免费试用，满意再买 / 108
特别策划，大家同乐 / 108
以旧换新，你好我也好 / 109
建立信用账户 / 109
忠告——小心对待降价促销 / 110
难道就这样让她走了吗 / 111
1+1+1+…… / 112
3. 将投诉者变为拥护者 / 114
T（thank）：感谢顾客 / 114
H（hear）：聆听顾客 / 115
A（apologize）：表达你的理解 / 116
N（need）：需要更多资料以便查问 / 116
K（know）：决定解决方案 / 117
S（solve）：解决问题 / 118
4. 打破沉默 / 119
重视沉默顾客的心理培养 / 120
建立顾客通讯录 / 120
了解顾客不来的原因 / 121
做出反应 / 121

法则 6 瞬间感受

1. 一副好的外在形象 / 125
该怎么穿 / 125
如何化妆 / 127
麦当劳的菜单——微笑：免费 / 129
2. 顾客想要什么样的服务 / 131
别用高音对待顾客 / 131
变脸游戏 / 132
这样做是在打扰顾客 / 134
一眼高一眼低行不通 / 136
人们为什么有两只耳朵，却只有一张嘴巴 / 137

当顾客抱怨时 / 140
创造性的服务 / 142

法则 7　不等待原则

1. 减少购物中的等待 / 147
看，他走了 / 147
态度冷淡 / 148
别让试衣服的人等太久 / 149
去仓库拿货可不是散步看风景 / 150
当电话响的时候 / 151
价格标签 / 151
提高接触率 / 152
2. 缩短收银台前的停留 / 153
设置快速收银通道 / 153
检查收银机 / 154
有序 / 155
分散顾客的注意力 / 156
与等待的人聊聊天 / 157
把实习安排在收银高峰期是不明智的 / 158
避免一个收银员制造的等待 / 158
收银中的革命 / 159

法则 1

不推搡法则

BU TUISANG FAZE

- 出入口
- 过渡区
- 通道
- 收银台

一个专门为商家提供咨询服务的机构曾将摄像机装在某商场的出入口处，让摄像机镜头对准入口附近的打折服装货架，借以观察顾客的行为。

从摄像机镜头中，他们注意到，多数购物者看到货架后都会停下来看看。当他们被来来去去的人撞了一次或两次的时候，虽然眉头皱了起来，但还会继续挑选商品，可是当他们被撞上三次或更多次以后，几乎都会失去购物兴致，迅速离开。

你看出问题在哪里了吗？显然，那些对商品有兴趣的顾客都被拥挤的人群吓跑了！

再花点时间实际观察一下自己的商店，在出入口、通道等人流量大的地方，是否也会有顾客因为拥挤而放弃选购的？或者再想想自己平时的购物经历，你喜欢在选购商品时被人挤来挤去吗？

你很惊奇吧？原来——推搡（或者说拥挤），竟然也是销量的杀手！

赶快来看看有哪些办法，可以帮助你的商店逃出这名杀手的手掌心！

1. 出入口

每个商店都会有出入口，这也是每个顾客的必经之道，既然是必经之道，这可就关键了！效果的好与坏，往往就在于那么一点差别。

⊙ 出入口尽可能分开

对于大多数小型店铺来说，入口即为出口，顾客从一个地方进入，也从相同的地方出来，出口、入口合二为一。

不过，规模大的店铺或卖场就应该将出口和入口分开，因为这样一来，顾客在店内基本上会遵循从入口到出口的购物路线前进，彼此方向整体一致。而行进方向一致，就可以在一定程度上避免拥挤或推搡。我们知道，顾客之所以发生拥挤或推搡，有很大一部分原因是因为彼此的行进方向不一致，你往前，我往后，你往左，我往右，最后只好挤在一块，互相推搡，彼此"亲密接触"。如果大家的行进方向基本一致，鱼贯而入，就会形成一条很顺畅的顾客流。

说到鱼贯而入，不知你有没有观察过鱼群在水里悠游的情形？鱼儿喜欢成群结队出游或觅食，在争抢食物之前，它们通常都不会挤成一团，无论有多少同伴，它们的行进方向都十分一致，后面的鱼儿总是非常有序地跟在前面的同伴后，轻灵地游动。

将出入口分开，就能使大家像鱼群一样，沿着从入口到出口的既定购物路线行走，形成内在的购物秩序。

同时，可以在入口处提供购物车、购物指南，而在出口处设置收银通道，使顾客购物井然有序，畅通无阻。

图1-1

⊙ 数量和位置要合理

决定将出入口分开后，就要考虑出入口的数量。无论是哪种类型的店铺，都应根据营业面积、客流量来决定出入口的数量。小面积的店铺可考虑出入口各设一个，大型的店铺就需要多个入口和出口。

另外，出入口的位置要仔细选择。在店铺设置的顾客通道中，出入口是驱动消费流的动力泵。好的出入口设计能合理地使消费者从入口到出口，有序地浏览全场，不留死角。如果设计不合理，就会造成人流拥挤或顾客没有看完商品便到了出口，影响销量。

如果店面是规则店面，出入口一般设在同一侧为好。如果出入口不在同一侧，而是面向不同的马路，顾客就有可能会因为觉得乘车赶路不便或认为店铺太宽而不愿走完全场，留下死角，由此令商场失去许多销售机会。不规则的店面则要考虑到内部的许多条件，设计难度相对较大。

此外，要充分考虑出入口设置的有效性。

第一，设置出入口时，一定要调查清楚从店铺的不同方向走过的客人各有多少。如果一家店铺一面是对着车水马龙的大马路，一面是对着人烟稀少的空旷区，那么将出入口设置在后面一种位置上就不恰当了。

第二，考虑入口的便利性，如果行人的眼睛已经停留在店铺上，但是入口位置看起来并不方便进入的话，恐怕也难留住顾客的脚步。比如入口处的楼梯就是障碍物，楼梯会给人以阻力感，特别给老年人和残疾人带来非常大的不便。所以，当入口与路面有高低差时，要尽量利用斜坡进行过渡，或者设置自动扶梯。

图1-2

第三，现在有车一族的队伍渐渐壮大，很多人都会选择在周末驱车带着全家去购物。下了车之后，他们通常会希望在停车场附近就有出入口，因为他们可能不是很喜欢从地下或者商场的后面绕很大的圈子再走到入口，如果有老人和小孩的话，这样远距离走路也会很不方便。所以，店铺在设计入口的时候应该考虑购物者不同的购物方式。也许过不了几年，所有的人就都躲在家里进行网上购物，那店铺应该做的就是拆除那些多余的出入口，而增加运输车辆和运送人员，以适应人们新的购物习惯。

⊙ 足够宽敞

宽敞的出入口能容纳较大的人流量，让顾客从容出入而不会发生拥挤或推搡。在营养条件越来越好、大高个和肥胖者越来越多、行动迟缓的老年人和残疾人也是不可忽视的购物大军的今天，出入口的宽度和高度都应当增加。

一般来说，店铺入口处的高度必须在 2 米以上，宽度要在 1 米以上。入口加宽的同时，不要在两侧摆放商品，也不要放置自动售货机，这是为了避免在入口处造成“交通阻塞”。

此外，宽敞的出入口可以在心理上给顾客以吸引，让他们身心轻松地走进店铺，因为人性的本能需要一定的自我保护空间，需要与他人保持一定的距离。

心理学家测量出在不同场合下人与人之间应该保持的合适距离。

“较亲近”的个人距离是 45～75 厘米。这是恋人之间、父母与年幼子女之间、小孩子之间以及在一些场合中朋友之间应该保持的距离。

“较疏远”的个人距离是 75～120 厘米。这是两个闲聊者之间的距离。

“社交”距离是 120～350 厘米。这是职业环境中的典型距离。有专家说，350 厘米是在无隔间的大办公室中所建议的空间。在这种环境中，没人会感到必须扔下工作与边上的同事说话。

超过 350 厘米为公共距离，即大学教授在课堂上与学生保持的距离，参加群众集会的政治家与群众的距离，音乐会上歌唱家与听众的距离。

有的店铺营业面积本来就不大，出入口当然不可能太宽敞，但可以通过一些简单易行的方法来营造宽敞感，比如：

在出入口处配置明亮的灯光，特别明亮的地方会给人以宽阔感，如图 1-3。

在地面上铺设白色或光泽感强的地砖，白色能使视线发散，可增加视觉上的宽阔感，而且看起来干净整洁，令人愉悦。

借助楼层本身的设置，对入口处的顶部不作装修，保留原来的只有几根钢架的模样，通过增加高度来增加空间感。

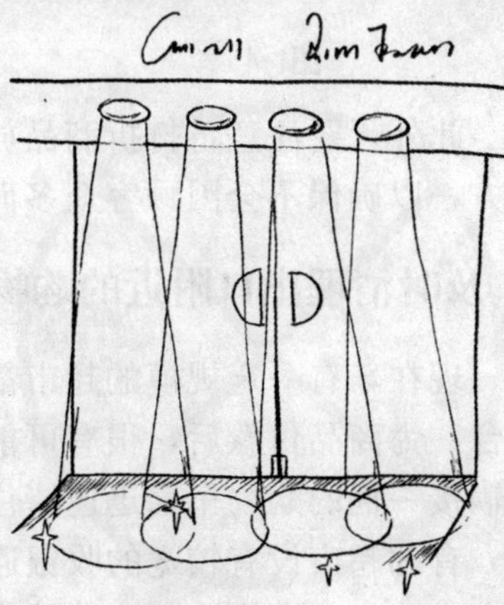

图1-3

⊙ 摆放打折商品要三思

大多数店铺都喜欢在出入口附近放上一些打折物品，希望以此吸引顾客。的确，不少顾客都是受“价廉、便宜”吸引的，一旦看见打折商品，立刻眼睛就发亮，一个接一个都围攻上去。很快，就会制造出一种熙熙攘攘、生意兴隆的氛围，吸引更多的客人走进店铺。不过，此种做法却可能带来另外一些损失。

一位商场主管站在离商场入口不远的地方，想知道门口摆放的打折秋装的销售情况。经过长时间的观察，他发现，很多顾客从打折衣架上选了商品后，直接到收银台付了款就离开了，不会再走进商场浏览选购其他商品。主管走上去与顾客进行交谈。一些顾客告诉他，他们以为这里主要出售打折衣物，所以不再往里走。还有的顾客告诉他，这里太挤了，他们被人撞来撞去，弄得很心烦，对进去购物突然没有了兴致。

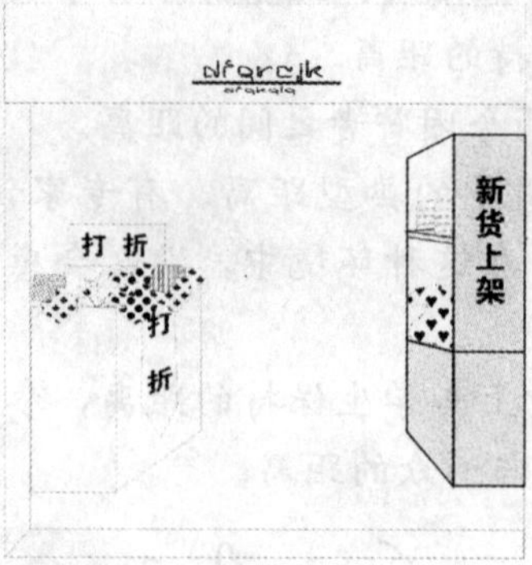

图1-4

这听起来的确不是一件好事情！商场的初衷是想吸引顾客进来购物，怎料却顾此失彼了。

在入口附近设置打折商品专柜是一件有利有弊的事情，所以我们应该采取一定的措施来避免不利的局面出现。比如，除了标明有打折物品外，还应该用更醒目的文字或招牌来告诉顾客：店内有新品！如果将“新品”字样醒目地展示出来，就能吸引顾客去继续光顾更多的商品。

此外，要注意将打折商品放置于在入口处能看见但离入口处有一定距离的地方，以确保不会因顾客众多而堵塞入口。

⊙ 及时清理出口附近的购物车

现在，有一定规模的超市都会为顾客提供购物车，顾客推着购物车来到收银台，为商品付款后，很有可能将购物车留在收银台旁边。如果不及时清理，一辆接一辆的购物车会迅速堵住收银通道，给后面排队付款的人造成不便。

有的超市设有较宽的收银通道，因此顾客可能将购物车推出去后再丢下购物车，购物车会横七竖八地放在出口处，迅速造成出口堵塞，令顾客感到心烦意乱，甚至发誓不再光顾。

还有的商场或超市比较人性化，允许购物者把车推到尽可能远的地方，购物者常常会把购物车推到一楼的出口，或地下停车场附近的出口，造成这两处购物车乱放。如果不能及时清理，任由它们成为路障，让人与车争路、人与人争路，“推搡效应”就会不可避免地发生。同时，这乱糟糟的景观，很容易给顾客、过客们造成不好的印象，商场或超市的形象无形中被破坏了。

图1-5

所以，要及时整理出口附近散乱的购物车，以保证出口畅通。

及时整理购物车还可以避免购物车的丢失。每丢失一个，商店就要再购买一个，这当然增加了营运成本。另外，也可以减少购物车/篮的损害，当它们成为人们通行的阻碍时，人们的气愤就会转化成对它们的破坏，踢一脚，使劲摔在地上或者摔在一堆购物篮中，一次两次也许没什么问题，但次数多了，这些购物用的器具就会出现不同程度的损坏，到它们坏得厉害的时候，商店又得再购买新的购物车/篮了。

2. 过渡区

所有的商店，无论大小都需要设置过渡区！

这是紧挨着入口处的一片空旷的区域，大小可根据商店的总体面积而定，但不管怎样，一定要有！

⊙ 看看刚刚走进商场的购物者

试着站在某商场的外面，观察一下，购物者在进入商场的这一段时间做了什么。首先，顾客不会在入口前停留很久，能吸引他们的只是一些特价广告，而且他们多半会边走边看。然后，他们走进入口。当顾客刚刚进入商店的时候——不管他是步履匆匆还是不紧不慢，他都并没有真正进到商店里来，尽管他已经跨进了商店的大门。

这是什么意思？任何一个顾客都需要一段短暂的时间进行调整：把脚步放慢或停下脚步，调整视线认清商场的情况，环顾四周观察商店内的布置、有哪些商品及判断自己想要的东西会在哪里、自己该往哪个方向走。同时，他们身体的其他部位也在感受着商店的情况：空调怎样，是否过冷或过热？气味怎样，是否有令人不舒服的气味？声音怎样，安静还是吵闹？等等。总之，他们进门后要过一会儿才算是真正来到了商店。在此之前，即便有琳琅满目的商品摆在眼前，他们也会视而不见。如果在此放广告牌，很难让人看清楚它在说什么。如果在此提供服务通常令人无所适从或反感，比如，当营业员上前热情地问“您需要点什么?”顾客习惯回答“谢谢，不!”

图1-6

此外，入口附近会有太多因素影响顾客的购物情绪。首先，不断从入口涌进的顾客推搡着他们。其次，那些喜欢与朋友在入口附近相聚的人，使得此处拥挤而喧嚣。再者，门口往往有穿堂风或者空调风，令顾客只想快快远离它们。

因此，你需要在入口处设置一个过渡区，就如飞机起飞前的滑行跑道一样，能让顾客平稳进入购物的状态中来。

⊙ 正确使用过渡区

许多经营者都会认为，门店的营业面积有限，寸土寸金，设置成空旷的过渡区岂不是浪费？在保留过渡区的基础上要加以有效的利用也不是不可，但一定要注意以下几点：

第一，在过渡区最好不陈列商品，尤其是贵重商品。如果要陈列，也应该是一些轻便的、便宜的或打折的商品。

如前所述，在过渡区人们没什么购买欲望，但如果是便宜的、廉价的、轻便的，顾客不用经过太多思考就可以决定购买的，他们也有可能顺便就买下来。事实上，为数不少的商家都会在过渡区设置打折物品，用以集聚人气，吸引眼球，当然这种做法有利有弊，前文已经分析过了。

为什么贵重的商品不能在此陈列？很显然，绝大多数顾客在购买贵重物品时都需要一个安静的购物环境，以便慎重思考，从容挑选，而过渡区绝对不是。再者，面对贵重的商品，顾客很难在走进商店的第一时间就决定购买，他们对后面的商品有很强的心理预期，很自然会选择往前走。即便走完整个商场后还是觉得过渡区的商品好，他们也可能再无耐心调转回头来购买。

顾客的心理预期效应就如歌手大赛的情形一样，在歌手大赛中，第一个出场的选手通常很难获得最高分，因为评委们对后面的选手有太强的心理预期，容易觉得好戏在后头，山外有山，人外有人，不肯给予高分。再说，没有充分的比较，评委也不敢贸然给出高分。

在购买活动中，顾客扮演的角色和歌手大赛的评委差不多，他们对最早出现的商品通常兴趣不大，总认为后面还有更多更好的东西可供选择。俗话说，货比三家，没经过比较就下决心购买一件贵重物品的顾客，要么是太有钱，要么是太冲动，而这两类人，决不是顾客中的大多数，所以，在过渡区摆放贵重商品是不明智的。

第二，在过渡区可以提供购物车/篮、购物指南或优惠券。

这通常是指较大型的商场或超市而言。正如你所看到的，零售行业盛行规模经济，越是大型的商场或超市，越能够以低廉的价格采购商品，从而降低营运成本，返利给顾客。同时，它们能在最大程度上给顾客提供一站式的便利服务。因此，大型的商场或超市越来越多，他们的出现给传统的小零售店、杂货店造成了巨大的影响。

在这种大型商场、超市里，购物车/篮或购物地图是必须提供的。人们通常会采购相当多的商品，只有在购物车/篮的帮助下才能从容购物。而没有购物地图的指引，人们就容易在迷宫一般的商场中迷失方向。

此外，大型商场或超市为吸引顾客，多半都会举办一些促销活动，采取各种优惠措施，为配合这些活动，需要给刚进门的顾客发放一些活动说明、促销商品清单、优惠券等，吸引他们直奔主题而去。

所有这些购物车/篮、购物地图、活动宣传品等，都应当在顾客进门后、购物前得到，而且它们的出现能够帮助顾客尽快完成心理过渡，提醒他们购物正式开始，所以，放置它们的最佳位置当然是过渡区。

一家大型超市在经营上的最大特色是定期促销不同商品，因此基本上每天都会有一些商品以优惠价格出售，超市将这些商品的名称、特点、促销时间印成精美的宣传册，发放给顾客，用作购物指南。这本是一个很好的办法，很多顾客也因此慢慢养成了拿着手册购物的习惯。

美中不足的是，超市将这些宣传册放置在出口处而没有放在入口处或过渡区内。可以想见，顾客从收银台出来，早已大包小裹盆满钵满，哪里还有心思仔细研究这些册子？就算是精打细算的主妇或节省惯了的老人会将之带回家慢慢研究，也可能会因不慎丢失或错失促销期而放弃消费。

很显然，因为没将购物指南放在过渡区内，这家超市的营业额没有实现最大化。

第三，在过渡区内向顾客致以简短问候，但不展开服务。

有的店铺要求营业员在顾客进门后立刻上前服务，热情地打招呼，介绍商品并跟在他们身边，主动推销商品。这其实是一种错误的做法。顾客没完成心理过渡之前，任何推销都是无用的，过多的热情服务也只会让人退避三舍。

这是不是意味着不用跟顾客打招呼呢？当然不是，成功的门店服务应当让顾客有宾至如归之感，营业员的冷漠只会让顾客拂袖而去。在过渡区内，营业员可以向顾客发出简短问候如“你好！”“欢迎光临！”“请随便看看！”等，提醒顾客已经来到店里了，并开始吸引他们，但不要急于推销产品，或像蜜蜂一样围着他们。

某时装连锁店管理层曾让服务员尝试两种服务方式：一是顾客一进门就热情招呼，介绍商品；一是在顾客进门时只说：“您好，随便看看！”15 秒后才开始推销。管理层采用电子摄像等方式，对两种方式下的销售活动进行了跟踪。从摄像机镜头上，他们看到，当顾客一进门就被打扰时，他们大都会觉得很突兀，或是面色尴尬，对营业员发出的服务请求表示拒绝，甚至赶快离开。而对 15 秒后才有服务人员前来的情况，顾客处之泰然。对比两种服务方式下的营业额，他们发现，后一种服务方式居然可以将营业额提高一成左右！

于是，该连锁店规定，营业员在顾客进门后的 15 秒之内不许打扰顾客，让顾客以畅通无阻的心态进入店铺并且顺利地完成心理过渡。

3. 通道

零售店铺的通道是指顾客在店内购物行走的道路。通道设计的好坏直接影响到顾客能否顺利地进行购物，影响到店铺的商品销售业绩。

⊙ 通道宽度

通道分为主通道和副通道，主通道是引导顾客行动的主线，是从入口到出口要经过的路线，而副通道是指顾客在店内移动的其他道路。店铺内主副通道的设置不可以随心所欲，必须根据店铺的总体形状，因应出入口的位置、商品的特性来合理布局。通道设计的好坏直接影响到顾客能否顺利地进行购物，影响到店铺的商品销售业绩。

通道应当足够宽，以保证顾客井然有序地流动，不发生碰撞和推搡，并且带给顾客舒适之感。所谓足够宽，即要保证顾客提着购物篮或推着购物车能与别的顾客并肩而行或擦肩而过。

不同规模的店铺通道宽度不同，同一店铺内主通道和副通道的宽度也不同，一般来讲，通道宽度的国际标准值如下：

表 1－1　店铺规模与通道宽度的国际标准

单层卖场面积（平方米）	主通道宽度（米）	副通道宽度（米）
300	1.8	1.3
1 000	2.1	1.4
1 500	2.7	1.5
2 000	3.0	1.6

主通道通常比副通道要宽，但在大型店铺里，主通道不一定非要比副通道宽，因为主通道上的顾客通常是在有序地流动，不易堵塞，而在那些商品销售量大、顾客频频光顾的柜台或货架前的副通道上，顾客们总是长时间停下来精心挑选，使得购物车和人互相“打架”。

某超市一向以购物环境宽敞舒适著称，其主通道宽约 2 米左右，因此很少发生顾客拥堵现象。但在酱油醋等日用品专区前，由于选购的顾客多，副通道又比较窄，经常人头攒动，拥挤不堪。在蔬果称重处，也有同样的现象发生，人们需要排队，但通道又短又窄，顾客只好挤在一块。此情景，经常令一些有购物欲望的人望而却步。

因此，在某些人流量大、商品种类多、顾客需要精心选购的商品专区，或称重处等需要排队的地方，可适当拓宽通道宽度；在一些高价的或品种少无需太多比较时间的商品专区，可适当缩小通道宽度。

⊙ 及时去除通道上的障碍物

通道是用来引导顾客多走、多看、多买商品的，所以在通道内应避免陈设、摆放一些与陈列商品或特别促销无关的器具或设备，以免阻断卖场，影响顾客购物，损害购物环境。

图1-7

从商品上拆下来的塑料袋、纸盒箱、暂时不再使用的货架（促销后遗留下来的）等，如果不及时清理掉，不但会给顾客的行走带来障碍，而且还会给顾客带来零乱、无序的感觉，进而影响到对这家店铺的印象。

有时候，原本畅通无阻的通道会因种种原因出现障碍物，由于行人不小心的撞击、顾客随意拿取、陈列本身不是很牢固等原因，导致这些陈列品零乱，生出很多个角，或者陈列架脱离原来摆放位置，减小通道空间，影响了顾客和购物车的前行。针对这些情况，营业员要及时进行整理、维护，以减少潜在的阻碍点。

一架商场内部用的摄像机拍下了这样一些镜头：

镜头一：

摆放在箱子上的洗发水，一会儿被拿起一只，一会儿又被放下一只，有的被放在原来的位置上，有的被随意放在另一个位置上，有的还被放置在半空中。不一会，一瓶洗发水被一名顾客碰倒在地上，顾客弯腰去捡，后面的人皱着眉头，推着购物车绕过他，从旁边费力地挤了过去。

镜头二：

一个可移动的低矮货架被安置在通道边上，上面陈列了一些促销的袋装食品，此陈列架被单独摆放在那里，周围没有其他相连的陈列架。一辆购物车撞上了它，它下面的滑轮动了一下，有点歪了。接着，一个低头想心事的顾客不小心踢了它一脚，滑轮又动了一下。这时，它脱离原来的位置，大摇大摆地占据了通道的中央。购物车无法通过了，只有少数没推车的人从旁边挤了过去。

镜头三：

一个由纸盒箱堆成的堆头刚刚被堆起，它被摆成正方体。一个小时之后，这个堆头有点变形了，可能是由于纸盒箱本身在运输过程中已经变形，或者纸盒箱内物品数量不够，仔细看一下，这个堆头的表面已经不是原来那个规整的正方形了，而变成了一个多边形。经过它的人都需要曲线行进，以免被它挂上或绊倒。

镜头中的这些陈列物看起来并不是什么障碍物，但是它们却给购物者造成了障碍，我们姑且在这里将其称为隐性的额外障碍物。清理隐性障碍物，需要商场管理者和服务人员具有一定的预见性，且随时注意观察现场。

⊙ 回形设计太多不是好事

店铺中的通道可以分为直线式通道和回形式通道两类。

直线式通道，起点是店铺的入口，终点是店铺的收款台，顾客依照货架排列的方向单向购物，以商品陈列不重复，顾客不回头为设计特点，它使顾客在最短的线路完成商品购买行为。

这种设计比较适合中小型店铺，不太适合大型店铺。因为大型店铺内顾客流量很大，若全部顾客都挤在几条通道上购物，就会造成拥挤。并且，大型店铺商品丰富，若采用直线式通道，则意味着商品密密麻麻地陈列通道两旁，靠近商品的顾客尚能看清商品，站得远的可能就看不清了，想拿一件商品看看，可能还要越过几个人，麻烦透了，这种状况非常不合理，肯定影响销售量。

所以大型店铺多采用回形通道设计。回形通道又被称为环形通道，通道布局以流畅的圆形或椭圆形环绕店铺，使顾客依次浏览商品，购买商品。在实际运用中，回形通道又分为大回形（如8字形）和小回形（如口字形）两种线路模型。

回形通道设计意味着通道路线增加了，顾客被疏散到各个区域，不必在同一条通道上挤来挤去，这大大地缓解了主通道的客流压力，有效地维护了不推搡原则。由于回形通道的出现，顾客的行走路线更随意了，他们可以随时拐到感兴趣的商品周围，仔细看，仔细挑，不受打扰，这样一来，他们在店铺内逗留的时间也就相应增加了，而逗留时间的增加不就意味着销售额的增加吗？

不过，在进行回形设计的时候，并不是回形越多越好，回形设计太多会使顾客转弯的次数增多，实际上也就增加了与其他人相撞的机会。顾客可能一转弯，就撞上了另一个推着购物车的顾客，这在无形中增加了顾客间的相撞频率。所以，回形通道的设计不应过于频繁，适可而止。

刘小姐某日去某大超市购物，本打算疯狂采购一番，所以推了一辆购物车。但是该超市的商品陈列线很短，回形通道很多，每走几步就得转弯，她推着购物车转弯时很容易和别的顾客相撞。在车与人、车与车、人与人碰撞了好几次后，刘小姐开始心烦起来，虽然只选了几件商品，并未采购到她想要的东西，她还是皱着眉头直奔收银台而去。

从上面的例子中可以看出，太多的回形设计会给顾客的购物带来麻烦。

美国的零售超市曾经规定，商品陈列线的标准长度为18～24米；日本也规定超市的商品陈列线的标准长度为12～13米。因为商品陈列线比标准长度短，就会造成过多的回形通道。

⊙ 去掉卖场的棱角，可拓宽通道

人走路时习惯抄近路并且选择无障碍的安全道路，这被称为近道效应。在大型店铺中，越来越多的人倾向于将卖场各角落的直角变为钝角或曲线，这既是为了美观，为了使顾客转弯时更快捷，同时也变相加宽了通道交汇处的宽度，使通道更加畅通，并且减少了人们在转弯处的相撞可能。请比较图 1-8 的两张图，哪一种通道（主要指通道的交汇处）容量更大呢？

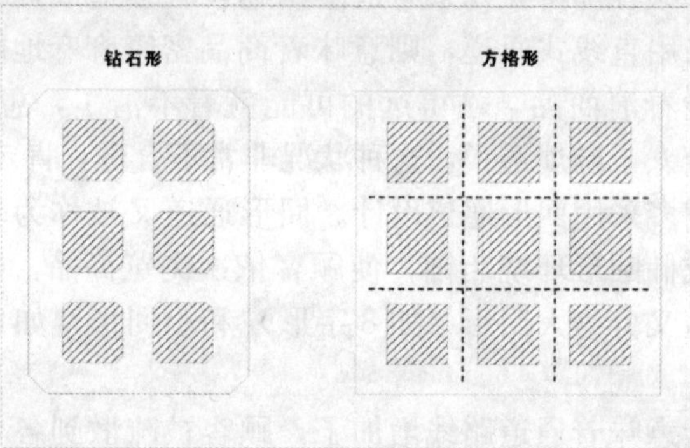

图1-8

⊙ 当心地面凸起的布线

店铺内需要布线的地方很多，如果这些线是布置在地面上的，它们就会给顾客带来麻烦。凸起的线会绊倒行走的顾客，会减慢购物车的行进速度，更会给行动不便的人带来麻烦。因此要充分考虑到它对顾客的影响，将各种电线或者铺设在地板下，或者走天棚，或者走柱子，总之不要走地面。无论藏在哪里，都应该藏得美观些。

如果非要从地面上布线的话就应该将布线的地方设置成缓坡段，比如在布线的通道上铺上有一定厚度的垫子，让经过的人感受不到地面布线带来的麻烦，至多是觉得这个地方比其他地面稍微高了一点点而已。

⊙ 别制造死角

在设计通道时还应注意不能留有“死角”。“死角”就是顾客不易到达的地方，或者顾客必须折回才能到达其他货位的地方。顾客光顾“死角”的次数明显少于其他地方，非常不利于商品销售。质量、牌子相差不是很大的两类商品，在非“死角”的地方被顾客平均接触的频率为 5 次/10 分钟，在“死角”处被顾客平均接触的频率为 1 次/10 分钟，很显然，前一种商品的成交率可能是后一种商品的 5 倍。在这个微利时代，这应该是一种很大的竞争力了。

此外，“死角”的存在使通道不能得到有效利用，影响了顾客的平均分布，由此增加了其他通道的压力，属于不合理的通道设置。所以，在通道设计过程中要注意避免“死角”的形成。

4. 收银台

大部分商场都不重视收银台前的拥挤问题，他们认为，当顾客来到收银环节，商品的销售已成定局，无需再浪费心思来挽留顾客。

其实，许多顾客都觉得，收银台前的拥挤比其他所有地方的拥挤都更难以忍受，因为其他地方如果拥挤，他们可以选择回避，而收银通道是必经之路，想回避也回避不了。商场管理者应该想到，顾客在收银台前仍可能因为心烦而放弃为购物车里的商品付款，这样的事情如果发生，商场就前功尽弃了。更严重的是，来到此处的顾客大多身心疲惫，购物的兴奋感已然消失，拥挤会让他们备感烦躁，整个购物过程中的好印象被大打折扣，说不定出门后“心有余悸”，不愿再“下次光临”了。

⊙ 加长货架与收银台间的距离

对许多商场来说，收银台绝对是整个卖场的“瓶颈”，因为所有的顾客最后都将集中到此处，而且当他们来到收银台时，总是携带着大包小包，提着笨重的篮子或推着购物车，导致整个人的“体积”膨胀，人均“占地面积”大大增加。

与此同时，收银台与货架之间的距离却非常有限，可供顾客排队的空间短而狭窄，顾客只好站到货架与货架间的通道里。如此一来，在收银台附近货架购物的顾客只好在拥挤的队伍中穿梭，非常不便，而那些想要推车经过这一区域的人更是大费周折，此外，拥挤还让顾客感到闷热和不适。

如果收银通道非常多，收银员的效率足够高，顾客不需等待很长时间，拥挤的状况就不会很严重，然而，由于收银台的设置成本较高——购买金额不菲、侵占营业面积、需付相应的收银员的薪水——不是每个商场都会设置足够多的收银通道的。

所以，比较可行的办法是适当拓宽收银台与货架之间的距离，6 米左右的距离对稍大一点的卖场来说，是绝对必要的。

图1-9

⊙ 收银台前的购物车和小商品

一些商店的收银通道太窄，购物车无法通过，因此顾客从车里将商品取出来付款后，只好把购物车留在收银台内侧。如果不及时拖走，一辆接一辆横七竖八乱放的车会像螃蟹一样，霸占大量的空间，令本来狭窄的空间更加拥挤。因此，在购物的高峰期，商店应设专人负责将空车及时拖走。

如果可能的话，要尽量将收银通道拓宽，或是购买窄型的购物车，方便顾客在付款后很自然地将空车滑出收银通道，避免占据收银台与货架间的空间。

此外，一些商店经常将一些热销的商品陈列在收款处附近，以便顾客在等待交款的过程中能够顺手购买。当收款处人不多的时候，这并无大碍，但是假如有许多顾客在排队交款，而此处陈设的热销的商品又总是吸引收银台前的顾客去慢慢选购的话，就会影响交款的速度，使拥挤状况加剧。所以，商场最好还是权衡利弊，不要误把收银区当成重点销售区。

法则2

解放顾客的手

JIEFANG GUKE DE SHOU

- 卸掉累赘去购物
- 购物车/篮
- 座位

让我们总结一下“手”在购物过程中的作用吧：

手要帮助触摸商品，一般来说，只经过看就决定购买的顾客绝对是少数，多数顾客都必须经过手建立对商品的信任；

一只手对商品的感受程度绝对低于两只手对商品的感受程度，如果可以，顾客希望能用两只手充分感受商品；

手要帮助拎着购买的商品，身体的其他部位不具备这种功能；

手会影响顾客的购买心理，当手中已经有足够多的商品时，对下一件商品的兴趣就会降低，因为手已经暗示顾客——它拿不了那么多东西了；

…………

这些说明了什么？手对于购物是非常重要、不可或缺的！既然如此，对于如何做到解放顾客的手，让他们轻松地去购物就应该被充分地考虑到，并得到真正的实施。具体应该怎么做，我们将会在下面讲到。

1. 卸掉累赘去购物

对于穿行于许多店铺之间的顾客来说，当进入一个新店铺时，之前在其他地方购买的商品就会成为他们开始新一轮购物行动的障碍，因为他们的手——一个重要的、决定购买的感官已经被霸占了，使他们无法再去充分地感受新的东西。这就提醒店铺的经营者和管理者们，要想办法解放顾客的手，使他们能“两手空空”地在你的店里尽情浏览、触摸、购买各种商品。所以，你应该意识到，顾客需要一个存储箱。

⊙ 把累赘物品通通扔进存储箱

请你选择一个周末，站在一个云集许多商场的马路上观察经过身边的人，除了他们自身的背包外，他们还拿着哪些东西。即使不用亲身观察，你大概也会想象得到，大多数人手中都会拎着不止一个袋子，而且你能够判断出这些都是新买的东西。这就是说，这些购物者往往是由两部分组成的，一部分当然是他们自己，也就是购物者本身；另一部分就是他们购买的商品。

图2-1

这些新购买的商品，一方面让他们有了购物的成就感，另一方面却也给他们继续购物带来了麻烦。因为他们在接下来的购物中需要做以下额外的“工作”：提着越来越多的袋子穿梭于各个商场，在试其他物品的时候还要用眼睛照顾着这些已购买的物品，离开的时候还要检查一下是否漏下什么东西，有时还可能怀疑自己买的东西好像丢了一样，因为对数量常常感到怀疑。总之，当购物达到一定程度时，已购买的物品变成了一种累赘。

所以，在商场入口附近安置一个衣物存储系统是聪明的做法。这些购物者可以把手中的大多数物品都存放进去，然后轻松地继续购物。等他们买完新的东西后，就可以取出存放的物品，接着进行他们下一轮的购物活动，或者坐车回家。

有人说：“在使购物经历变得尽可能的舒适、轻松和方便之前，你将无法知道购物者到底要买多少东西。”这条准则用在这里同样适合，因为设置衣物存放系统的确方便了顾客。

应该划入累赘物品之列的不止是上面提到的已购买的物品，可能还包括出门时多带的衣服或者其他一些东西，这些物品都应该跟着已购买的东西一起被放进存储箱里，从而让购物者轻松地完成某次购物“旅程”。

⊙ 傻瓜式的存储程序说明

现在市面上流行着一种书，被称为“傻瓜书”，这倒不是说这种书是写给傻瓜看的，而是形容这种书的内容一看就懂，以及很容易学会。存储箱的使用说明就应该是这样的“傻瓜书”。因为使用存储箱对于购物者来说，只不过是购物前的一个简单的经历过程，因此，有关它的使用方法介绍就应该简明扼要，客气的话不必说，让购物者快速存完东西，然后走进商场，而不应该花费很长的时间研究该系统，难以理解的存储系统只会给购物者带来麻烦。

图2-2

一般来说，最好用几个简单的步骤就把存储程序说清楚。以电子存储箱为例，傻瓜式的存储程序说明可以归纳为以下几点：

（1）告知顾客是存还是取要点击相应的“存”或者“取”的按钮；

（2）告知如果没有门打开，就需要到其他区域存放，同时电子屏幕上会出现“存储物已满”字样；

（3）告知妥善保管密码条；

（4）告知取物方法（有的是用硬币，有的是用密码）。

前三点几乎适用于所有类型的电子存储箱，而第四点，则会因为存储箱种类的不同而需要商场做好相应的说明，这一步对顾客来说通常是最重要的。

在组织这些文字的时候还需要注意表述简明。对于购物者来说，他们希望的是通过简单明了的说明帮助他们迅速解决存放的问题，客气的话、啰嗦的话大可不必说。

⊙ 几种存储箱

看到那些提供多样存放系统的生产商就可以知道众多的商场也采用了多样

的存放系统。在这里，简单介绍一下各种存放系统，并分析它们的利弊，给商场如何选择适合自己的存放系统提供一些启示。

最开始使用的衣物存放系统是人工存放。在入口设置一个服务台，顾客将要保存的物品交给服务台里面的人就可以了，顾客会得到一个小号码牌。这样做，在早些时候的确给顾客带来了方便，但是随着出入商场的人越来越多，它的弊端也开始明显起来。人工存包既耽误了顾客的时间，又减少了客流量，高峰时许多顾客还要等待，大大降低了顾客的满意度。不过这种方式仍然适合小型店铺，他们的客流量决定这种方式仍然适用，他们没必要花费一大笔钱去购置先进的衣物存储系统，除非他们想把商店开大。

比人工存放更先进一些的是硬币存放。用硬币控制钥匙，投进一枚硬币钥匙就会出来；钥匙插进去，硬币就会弹出来。这种系统缓解了服务台人员的工作量，而且哪个柜子是否未用是一目了然的，所以这种方式成为很多商铺的选择。但是钥匙也因其体积较小不易保存，如果丢失，是一件很麻烦的事情。强行打开就要破坏衣柜，而顾客可能不会承担这笔费用。至于硬币，尽管服务台提供兑换硬币的服务，但是顾客用来兑换硬币的金额大小不等，这也增加了服务台人员的工作量和商场现金的流通。而且服务台由于还承担其他工作内容，兑换硬币的顾客可能因此而被冷落。

也许是考虑到硬币存放的不方便，后来又出现了密码存放。存物箱没变，变的是打开存物箱的方式。这种智能化的方式吸引了不少人，但是也让一些中老年人和孩子们感到了麻烦。这种存放系统不需要人们准备硬币或者兑换硬币，也不会因为服务台人员忙中出错拿错东西。但是薄薄的、小小的密码纸条也存在“隐患”，它们不易保存，一旦密码纸没了，商场同样要破箱而入，因为箱内的物品必须归还顾客，而这套系统的成本更高。

以上是现在的商场普遍采用的几种存储系统，以后，随着社会的发展，存储箱肯定也会发生变化，但相信应该是越来越人性化，既能满足新奇者的要求，也能满足讨厌科技的中老年人的要求，以及孩子的要求。

不过，不论采用何种形式存放，都应该是免费的，否则就会引起顾客的反感，直接影响店铺的声誉和销售业绩。

⊙ 卫生、安全和合理的高度

对于存储箱来说，有一些基本的构成要素，如果不考虑到这些基本要素，生产商设计出来的和商场采用的存放系统将是不受顾客欢迎的。衣物存储系统的构成要素包括干净与否、安全性和合理的高度。

干净与否。理所当然的，不必调查顾客在这方面的要求，商家们也会一致地认为保持存储箱的洁净是必需的，但是他们是否真正这样做了呢？某个小超市的自主存放系统是用钥匙的，当要存物品的时候就找一个有钥匙的柜子（没钥匙的通常是已经被使用的）。钥匙是一件小物品，很难保存，于是该超市就在钥匙上拴了一根长长的带子。本来是为了帮助人们保管钥匙的，但是那条带子因为多次使用已经很脏了。问问顾客对这样的状况有什么想法？他们会心存感激地把脏钥匙放进包里或者口袋里吗？是否还会由这条脏带子引发他们一系列不好的联想？后者会更多。结果就是人们不太想用存储箱了，反正该超市也没有阻止他们携带物品进入。但就像前面说的，本该放起来的物品成了他们的障碍。

图2-3

与之相类似，有的存储箱会留有一些顾客不要的物品，有的看起来并不讨厌，比如一些宣传单，有的看起来就不怎么样了，比如说吃剩的东西或者菜叶什么的；有的存储箱由于长时间不清洗，积了很厚的灰尘……这些都让存储箱变成了顾客不爱光顾的地方。想解放顾客的手，目的可能无法达到。

安全性。当顾客为了轻松地购物而把物品存起来的时候，他们又开始了新的担心——自己存放的物品会不会被别人拿错，或者被偷走。安全问题好比做事，做一百件好事别人不见得说你好，但是做错了一件事，别人可能就说你不好。所以，生产商要保证自己商品的安全性能好，而商场也要做好这方面的监控，让顾客们无忧地去购物。不发生就罢了，发生了，损失最大的还是商场和生产商。

值得一提的是，对于贵重物品，无论从哪个角度讲，都应该随身携带。当然，商场也要做好这方面的重点提示。另外，顾客还应该提高自我防范意识。现在有些盗贼的偷技非常高超，凭你怎么想也想象不到他们是如何偷走东西的，但是就是你认为不可能的事情他们却做到了。

真实案例一：

某女士去购物，购物前将 5 000 元现金锁进衣物存储箱，等她回来取的时候，打开箱子一看，5 000 元现金不翼而飞了。于是她要求商场赔偿，最后闹到了法庭上。法院判决商场可以不支付这笔费用，因为他们已经提醒顾客贵重物品要自己携带了。

真实案例二：

某市的几家商场连续发生了几次顾客存放在存储箱内的物品被偷走的事情，而顾客的密码小票又未丢失。后经调查，原来是当顾客取完密码条后通常会看一下，这时有一个记忆力惊人的男子会在1秒钟内记住纸条上显示的多位密码，然后等顾客离开的时候，迅速打开存有贵重物品的箱门拿走东西。

合理的高度。根据购物经验和观察可以发现，处于最高位置和最低位置的存储箱都比较新，因为它们很少被人使用，毕竟特别高和特别矮的人是少数。这说明了什么问题？商场似乎应该把存储箱的高度设置得更合理一些。这看起来像是一件微不足道的小事，但是作为商店的组成部分，由它可能引发的其他状况是没有人能够预料到的。只有合理的东西才是最恰当的东西，不合理的东西应该不断地去改变直至最后无比恰当。

除了上面三个要素外，商店还应该经常检查自己的衣物存放系统。在某个存储柜前，一个女孩子存放物品的箱子怎么也打不开了，她弄了很久，以致经过的人都以为她是小偷。最后她只好找来店里的人帮忙打开柜子。发生这种状况，顾客的感受不会好到哪儿去，浪费时间不说，还被人家怀疑。这件事要告诉商店的管理者们的是，应该经常检查一下这些为顾客提供便利的设施，如果不能提供便利反而制造麻烦，那就适得其反了。

2. 购物车/篮

购物车、购物篮在大中型超市里使用得比较普遍，以下我们就谈谈关于购物车的话题。

解放顾客的手，不光要体现在帮助他们把累赘物品存放起来，同时还要体现在购物过程中。当他们在看中了一样又一样东西的时候，如果没什么可以帮助他们承载这些东西的话，相信他们很快就会结束此次购物之行。所以，他们需要购物工具，即购物车或者购物篮。这样，就可以保证他们的手从头到尾都是灵活好用的，也意味着随时可以触摸让他们感兴趣的东西。这不正是商家们所期望的吗？

⊙ 既然他们是来购物的，那就给他们一辆购物车吧

随便问问超市里的营业员："顾客为什么来超市？"几乎所有的答案都是：

“他们是来购物的。”没错，如果不是来购物，他们就不会来超市了。即使有些人是抱着闲逛的心理来的，但商场所具有的即兴消费功能也会让这些人花钱。

所以，既然他们是来购物的，那么就请在他们即将进入超市的时候给他们一辆购物车。当顾客手中有了购物车之后，他们的心理就发生了变化，尤其是对于闲逛的人。第一，他们会觉得自己也应该买点什么，不然推着一个空车走来走去也不是很好看；第二，只要把一件商品扔进车里，这些闲逛的人就开始改变心意了，最后他们也许会变成消费最多的顾客。

为了能让更多的人推着车走，最好在购物车领取处的附近安排一个服务员，当顾客朝着购物车走去的时候，热情地给他们一辆车，这是很小的一个举动，但是顾客会很开心，因为这体现了对他们的关心。在这个讲究“顾客至上”“为顾客提供贴心服务”的时代，这个微小的举动正是这种服务精神的体现。但是很多超市都忽略了这一点，让顾客直接与冷冰冰的购物车打交道。请记住，没有人不喜欢被热情接待的。

⊙ 散落各处的购物篮

不过，不管如何花精力猜测顾客奇妙的心理，总是有些顾客不按照商家的安排去做，他们进来的时候，既不肯推上一辆购物车，也不肯提着一个很轻的购物篮，他们就这样进去了。

图2-4

可是，他们会这样一直这样走下去吗？也许有人会说，有些顾客在进商店之前已经盘算好了要买的东西：“我今天打算买一包方便面、一个拖布和一盒糖果。”而这些，两只手足以应对。但购物的结果却证明了顾客的做法并不是这样的：顾客进店之后买完自己计划的东西，可能还会碰到其他值得买的物品。这时候，他们会发现自己需要一个工具，能把双手解放出来，即使不一定是为了继续买东西，仅仅是为了让手空出来。但有些超市忽略了这一点，他们只把车和篮子放在了入口处或者某个楼层的自动扶梯口处，而其他的地方就再也见不到购物车和购物篮了。面对这样的情况，顾客常常会放弃想多买的物品，或者为了新看中的东西而放弃已选中的东西，没办法，两只手能拿的东西就那么多。这时，如果有人能把购物篮递给他们，他们就不用费心取舍了。购买的数量？——那还用说，当然是足够多了。所以，建议超市和营业员只要看到顾客拿着 3 件或 3 件以上的物品，就给他们提供一个购物篮。

能提供这种机动的服务就对购物篮的放置位置提出了要求。能满足所有顾客需要的购物篮放置方法是：除了在入口或者某个楼层的自动扶梯口处放置外，在销售区中还应该固定几个位置也放置一定数量的购物篮。别看只是一个小举动，如果每个购物篮都能为你增加一点销售额的话，一点一滴积累起来可就不是一笔小数目了，这个方法对于当今微利竞争的零售市场来说是相当重要的。

另外，散放的购物篮的高度应该在 1.5 米左右，这样顾客比较容易看到，因为大多数时候忙碌的营业员帮不上忙，顾客要自己去找购物篮。如果设置了但却看不到，那就和没设置的结果是一样的。

从那些起初没有明确购买目标但最后却买了很多东西的顾客身上，可以看出售卖的核心：如果顾客突然停止了“即兴购物”行为，那么整个商业的经济就将因此而全面崩溃，对于很多店铺来说，附加的和即兴的销售额的大小可能决定了它在财政上的盈亏。

⊙ 在购物车 / 篮上花点心思

有一家书店还制作了一种奇特的“购物篮”，准确地说，是购物袋，因为这个购物篮就是袋子的形状，顾客把选中的书放进去就像放进袋子里一样。这种袋子分量又轻，外观又很漂亮，所以当结账的时候收银员问要不要连袋子一起买的时候，大多数人都同意了。

在卖出书的同时还卖掉了袋子，书店的利润也因此增加了，这对于许多商店来说可能都是从未想过的事情。大多数商店给顾客包裹物品的袋子都是免费的，这就代表他们无偿地奉献给了顾客一笔费用。对比前后两种做法，你可以判断谁是更聪明的商人。

图2-5

北京燕莎友谊商城有限公司特斯物中心有一个关于购物车上的令人骄傲的发明。这里的购物车有一个延伸得很高的把手，能挂衣服。招商部的负责人说：“这样一来，男士们再不用在逛商场时扮演搬运工的角色了，这是我们的创意。”

该商场想得的确周到，他们知道大多数男人并不喜欢拿着一堆女人的衣物跟在女人身旁，这有损他们男人的形象，他们宁愿坐在远处，干点自己想干的事，吸支烟，摆弄一下商务通，看着自己的伴侣试衣服，如果能让他们做这些事，相信他们陪女人走的地方会更多。

这种新奇的购物车对于单独购物的人来说也是一种体贴的做法。购物车内的许多东西也许具有“不兼容性”，有些物品会影响到其他物品，这时对于有隔离要求的物品来说，能有另外一个空间可以帮助他们解决这个问题的话，他们的心情也会因此好很多。他们不用担心冷冻食品会弄湿干爽的毛巾，也不用担心选购的衣物会变皱。

现在大多数超市都会提供两种类型的购物工具：购物车和购物篮。经营者的考虑是：当顾客不准备买很多东西的时候，就可以选择购物篮，它体积小，穿行方便；当顾客准备买很多东西的时候，就可以选择购物车，一般的购物车都比购物篮大得多。

图2-6

但这种考虑是不是最符合顾客的心理需求呢？商场的出发点没错，根据顾客购物的数量和重量提供不同体积的购物工具。但是他们忽略了购物篮其实是不适合顾客的，尽管几乎所有的超市都在使用它！因为提东西的感觉无论多轻都还是有重量感的，提的时间越长，这种重量感就越大；而推车，人们总是感觉车里的商品好像没实际重，实际上是车轮的滚动帮助了我们。所以，购物篮应该取消，取而代之的应是小型购物车，也就是说商场应该提供大小不同的两种购物车。准备买少量东西的顾客可以选择小一点的购物车，准备大量采购东西的顾客就可以推大的购物车。

取消篮子还有另一个好处，就是可以避免当顾客为了看某件商品而把购物篮放下，看完后又要提起篮子进行的弯腰或者下蹲动作。除非是在做运动，否则其他场合的弯腰、下蹲都不会受人欢迎。如果是频繁地进行弯腰和下蹲，除了会使人不耐烦以外还会造成疲劳感。

⊙ 保持洁净

当购物车要参与整个购物过程的时候，人们就对它的一些状况开始关心起来，在这里要说的是它的洁净状况。

购物车（购物篮）洁净与否将直接影响顾客是否愿意使用它们，并影响解放顾客的手的程度。很简单，当顾客看到他所面对的购物篮很脏，那他很可能不用购物篮了，结果会怎样？在前面分析得很详细了，两只手拿不了多少东西。况且，这个时候还要考虑顾客的心理感受，看到脏的篮子也许和吃饭的时候发现菜里有一只苍蝇差不多。

图2-7

前一段时间，北京的记者走访了北京市众多大大小小的超市，购物篮不够清洁的现象非常普遍。在某大型超市入口处，一大摞蓝色的购物篮整齐地摆放在那里，但是几乎每个篮子里面都有水渍、泥点，有的篮子里面竟然还粘有已经干瘪的菜叶子。

一位刘姓先生介绍，有一次他从超市为孙子买回两只毛绒玩具，当时未仔细看，拿回家后发现一只白色的玩具上有多处污点，原来那是被购物篮污染后被人重放回货架上的。有了这次经历，刘先生再去超市买东西就细心起来，他不仅对选购的商品认真察看，而且还对购物篮仔细检查，找到十分干净的，他才敢用。

如果哪家商场的购物车、购物篮是这样的，那就别指望顾客能安心地购物，像刘先生那样，还把购物篮也当成了挑选的一部分。

另外，当顾客发现自己挑选的商品被弄脏的时候，他们就会把这些商品放回原处，重新挑选新的、干净的商品，这对商场来说是一种损耗。

在一家超市，一位小姐将放进购物篮的几包纸巾取出来放回货架，然后扔下篮子，重新拿了几包纸巾抱着离开。走近一看，原来购物篮内很不干净，油腻腻的，还有一些酱油汁，而被她放回原处的纸巾外包装上，明显也被污染了。

对于这些被弄脏的商品，如果还能擦干净继续售卖，对商场来说也还算好。但像一些不能清洗的商品如针织类，最后只能通过降价处理，或者通过别的渠道来销售，但无论怎样，商场的损失都会很大。

还有一个需要重视购物车洁净状况的原因是：脏代表着有细菌。尤其是2003 年中国经历了一场 SARS 之后，大家对细菌变得敏感起来。这是无可厚非的，人本就应该生活在干净的环境里，而人们也正朝着这个方向努力。所以，保持购物车清洁，从长远来说，是一件有益（有效益和有意义）的事。

顾客手中的购物篮或者购物车为什么会这么脏呢？

某商场里，一位先生从货柜上取下一盒涮羊肉片，随手丢进篮子里，之后他又挑了其他一些商品。由于超市内的温度高于冷藏箱的温度，加之其他物品挤压，底下的涮羊肉片很快就解冻了，塑料盒破裂，盒子内的水流满了篮底。这位先生发现后，把篮内的东西换进另一个购物篮后，便把脏污的篮子放到一边。没过多久，这只篮子又被一位老人拿去，把购买的速冻水饺放进里面。

图2-8

有些小孩子也喜欢坐在购物车中或者站在购物车中。对于走路还不稳的小孩来说，购物车的确成了他们的代步工具；但是对于活蹦乱跳的大一些的孩子来说，那个小地方他们坐不下，即使能坐下他们大多也不安分，总是喜欢站在车内，父母们也很少反对，可是，他们脚上还穿着脏鞋子。

从购物车（购物篮）对销售的影响来看，如果顾客不能推着一辆车走，那么他们的销售额一定会很小，你怎么能指望一个想买电视的人会自己拖着电视到收银台！所以，购物车在促成销售额上的贡献也是很大的。既然如此，购物车的不洁净状况就该被重视起来。

⊙ 铁制的购物车很容易生锈

许多店铺里的购物车都是铁制的。铁很容易生锈，这是很多人都知道的自然现象。所以，在那些有着铁制购物车的超市里，看到许多购物车从车身到车轮都锈迹斑斑就不值得奇怪了。但问题是，当购物车成为商场里用来服务顾客的工具时，顾客也许就不这么坦然对待了，因为锈会带来很多麻烦。

购物车上的锈会把顾客的某些商品弄脏。对于那些表面比较光滑或者有塑料包装的商品来说，铁锈不会对它们产生什么影响，但是对于那些没有包装的棉布制品来说就有影响了，它们很容易把铁锈带到“身上”。

至于车轮上附着的铁锈，虽然不会对商品构成什么威胁，但是它对顾客构

图2-9

成了某种程度的“威胁”！那些使用时间较长的购物车，车轮锈迹斑斑，使得购物车转动起来极不灵活。这时候，顾客就会觉得控制这样的购物车如同驾驶一辆有毛病的汽车一样，得精神高度紧张、想方设法地控制好它，不让它出问题，其结果就是——无心观看窗外的风景，人们只想能赶快买了东西走人，或者被迫放弃这辆“车”。

对于这种类型的购物车，顾客的手和手臂就和购物车展开了较量，也许顾客要花上很大的力气或者很多心思才能让购物车按照自己的意思前进，不听使唤的购物车也很容易碰到其他顾客。关于这种情况，不知道以后会不会在入口处看到有许多试验购物车灵不灵活的顾客，因为如果挑不到一辆合适的购物车，顾客也无法安心购物。购物过程中的人与车的较量并没多大趣味，这里不是充满刺激感的赛车场。

⊙ 允许顾客把购物车推到他们需要的位置

通常情况下，走出收银台就意味着此次购物之行已经结束。没错，从货物交换的角度来讲，顾客的一次购物是以付款为结束标志的。但是，商场的服务并不应该因此而停止，体现在购物车上，就应该是允许顾客把购物车推到他们需要的地方。

有些商场为了管理上的方便，通常会在收银台不远处就“截获”这些车，然后让顾客自己提着许多袋子走出去。这样的做法不太妥当，特别是那些买了很多东西的顾客。多数情况下，提的袋子越多也代表着分量越重，这个时候把车收走，顾客也许不会说什么，但不代表他们就赞成这种做法。

所以，最佳的做法就是允许顾客把车推到他们需要的地方，可能是停车场，也可能是离他们乘车最近的地方。一般来说，只要不是离开店铺很远以及需要穿过马路的话，应该都没问题的。

有一家店允许顾客把车推走，前提是留下 100 元押金就可以了，等还车的时候就把押金退给他们。这种做法适合在小区内的商店，他们的主要顾客就是小区住户。现在的小区规模越来越大，顾客想买较多的东西也是一件挺辛苦的事情，年轻人也许不那么介意，但对于年老的人，他们的身体就不允许了，如果小区内的商店能推出这项服务，只要交上一部分押金，就可以利用店里的车

图2-10

把东西送到家，相信会有很多人喜欢这项服务的。对于他们来说，他们交的钱是可以全部退还的，他们没有因此损失什么。同时如果能建立起这样一种服务项目，顾客交上一笔押金，然后就可以在一段时间内都可享受这种服务，那对商店来说也是一项增值的服务。

⊙ 流动的广告

在某商场你可以看到这样“奇怪”的广告，它不在墙上、地上、柱子上，也不在天棚上。仔细观察，它们在购物车上，彩色的宣传单贴到车上，结果，它们形成了一道与众不同的广告宣传线。

这个方法是个新奇的创意，这种广告形式，同陈列在卖场中的其他任何广告相比，它可能会吸引更多人的眼球，因为它总是随着人们在移动。只要有顾客的地方，就可能有那些广告。彩色的图片和单调的购物车相结合，既发挥了广告的作用，又美化了购物车。

商场内固定的位置已经被大大小小的商家争得差不多了，但只要能想到，肯定还会有地方可供商家使用。上面广告的“选址”应该可以给其他商家以启发。

3. 座位

在一项公共项目调查中发现，一张椅子可以让老年人行走的距离加倍。因为他们容易疲劳，但若是给他们一个休息的地方，歇一会儿后，他们就可以继续往前走而不是返回了。这在其他年龄段的人身上将体现得更加明显。休息过后，他们会走出更远的距离，也就意味着可能买更多的东西。只逛一家商店的人通常没有逛五家商店的人买的东西多。

⊙ 拎东西久了，手会不舒服

有一个关于压力的例子：

在一次培训课上，讲师拿起一杯水问学员，这杯水的重量是多少？有人猜是200克，有人猜是500克，还有人猜是1 000克。那么到底是多少呢？讲师说，其实这杯水本身的重量并不重要，重要的是当你持续地拿着这个杯子的时候它带给你的感觉。开始时，你一定觉得这个小杯里的水没多重。但是，慢慢地，你会觉得你的胳膊很酸，杯子也变得很重。

所以，从这个现象中得出的结论是，面对压力，懂得适时地放一放的人就不会被压力压垮。

是的，一杯水能有多重？但是总是那么拿着，手就有点吃不消了。如果能偶尔把杯子放下，然后再拿起，手上的感觉就不会那么坏了。顾客的手也是同样的道理，拎久了东西，手就会觉得不舒服。因此，设置座位区让他们休息一下是个好主意。经过休息，恢复他们手和脚的灵巧，就可以让他们继续去购物了。女人在这方面表现得更为明显。女人是天生的购物者，她们对各种商品都充满了兴趣，如果真的能让她们在累的时候休息一下，然后再继续逛街的话，她们能持续的时间一定是很惊人的。

但是很多商场都没有这样做，不知道他们是舍不得这点空间，还是出于其他的考虑。在一个豪华的大型购物商场里，也许有顾客所需要的所有商品，这让顾客觉得很兴奋，但是当顾客累了的时候，他们可能找不到休息的地方，这里是指免费的休息区。结果会怎么样呢？

图2-11

在缺少休息区的环境下，顾客只好自己寻找“休息区”了，只要是能坐下的地方，顾客就会去坐一会儿。这种情景让人想起建筑工人们呆的地方，放眼望去，人们都坐在地上，真是大煞风景。而顾客们的心里也会觉得不舒服，他们在缓解身体疲劳的同时，也在责备自己怎么坐在这么个不雅的地方，但是有什么办法呢？

某个有五层楼的大型购书中心，从一楼到五楼，根本就找不到一个座位。

这个购书中心除了有电梯之外，还有楼梯，所以，很多人就把楼梯当成了椅子，铺上一张报纸就坐在上面休息。那些上楼梯的购书者只好无奈地绕着这些人，从边上的空隙小心翼翼地往上走。

对于收费的休息区，多数的大商场里都有，比如一些买咖啡、茶点的休闲驿站，但是顾客要为休息付出的价格未免昂贵了些，大多数的人都望而却步。

一个舒适、完善的购物环境会有效地激发购物者的消费冲动，从今天快节奏的生活状况来看，营造一种购物之余舒适的休息环境，也是顾客的迫切需要。商家不是说“顾客就是上帝”吗？“上帝”本来平时就很累了，可千万别再让他们在购物时再累着。

⊙ 给座位区一个相对独立的空间

一个较好的座位区设置应该具备休息区的一些特征。

安静。也许商场里的免费座位区不能做到像咖啡屋那样安静、祥和，但是也应该相对地安静一些，只有这样，顾客才能“养好精”“蓄好锐”。如何营造一个安静一些的座位区是有方法的，经营者们可以充分利用商场里的布局，给顾客创造一个合适的座位区，比如说某片空地，或者是某个角落，使它相对地脱离于售卖区外。

图2-12

指引清晰。如果座位区不能设置在顾客很容易发现的地方，那就应该把它的位置标示清楚，以便为有需要的顾客提供服务。有些商场本来有些很好的免费服务项目，但往往都因为没有做好明确的标示和说明，导致顾客即使看见了也不知道是免费的。

配备物品。对于座位区来说，如果能再搭配一些休闲读物，比如报纸、杂志、漫画就更好了。也许有人会说，万一被顾客拿走了怎么办？这样的顾客毕竟是少数，大多数的顾客还是很自觉的。让他们换换脑，抛开之前那些物品的影响，也许等他们再站起来的时候又会充满购物的激情。

⊙ 商场外边的座位

就像我们前面说过的，很多商场都没有在室内给顾客提供可坐的椅子，这让“辛苦”购物的顾客常常感到疲惫不堪。这时，他们会想：如果商场外能有休息的地方就好了，使他们一踏出商场大门就能立刻坐上去，把累得半死的手和胳膊解脱出来。

顾客的这种要求合情合理，商场如能做到这一点，既可以体现人性化，又满足了顾客的需要。而且，设置座位完全可以增进商场的销售额，尤其是对出售食品的商场、超市来说。在顾客进商场时，如能看见外边有座位可休息的话，他们就会很自然地想到：“等会儿可以买点吃的，出来可以边休息边吃。”特别是几个人一起来的时候，大多会习惯多买一些即食品，边聊天边吃，那也是一种享受。人们在休息的时候很容易想到“我应该吃点什么”，这是一种天性。看看那些超市外边的休息区吧，座位上都坐满了人，或三五成群，或两人独处，热热闹闹、喜笑颜开的，桌上堆满了刚采购完的各种物品和，嘴里也不闲着，忙着吃还忙着聊天，一个个要么兴高采烈，要么悠然自得。

所以，椅子这种东西对提升商场的销售额的确不可小看。

不幸的是，我们很多商场、超市并没有意识到这一点，有的甚至放着供应商免费提供的椅子和太阳伞不用，宁愿让它们躺在仓库里睡大觉也没想到把它们拿出来“造福”顾客，不能不说是一种可惜！

法则3

抓住顾客的购物习惯

ZHUAZHU GUKE DE GOUWU XIGUAN

- 顾客的行走习惯
- 眼睛的秘密
- 隐秘的心理
- 决定陈列的感官需求
- 连环套陈列

得顾客心者得天下。能在最大程度上满足顾客心理需求，符合顾客购物习惯的销售方式，就是成功的！

或许，你从未发现：

全世界绝大多数的购物者在商场里的购物路线都呈逆时针方向。

顾客的钱袋子一旦被便宜货打开，就如同失窃的家。

如果不经过看、闻、触摸，顾客就无法建立购买信任感，一般不会购买商品；

顾客喜欢看到商品与商品间的关系，希望几件相关商品能组合成一个故事；

…………

别急，本法则将为你一一揭示顾客的行为习惯和隐秘心理，并提供相应的解决方案。

1. 顾客的行走习惯

你留意过顾客是怎样移动他们的腿的吗？这句话的意思是说：顾客是怎样行走的？

什么？不知道？

哦，没关系，绝大部分人的回答都是这样的。

什么？顾客怎样走和商店有什么关系？

当然有！好的商店能够将最多的商品陈列在顾客的行进路线上和视线范围内，带来的结果是什么？那还用说，就是最大程度地增加销售额。

⊙ 向左走，向右走

几米的畅销漫画《向左走，向右走》中有这样两段描述：

她住在城市郊区的一栋旧公寓大楼里，每次出门，不管去哪里，总是习惯性地先向左走。

他住在城市郊区的一栋旧公寓大楼里，每次出门，不管去哪里，总是习惯性地先向右走。

这两个孤独的、渴求异性温暖的都市单身族，本住在同一栋公寓，但由于彼此的行走习惯相反，一个总是向左，一个总是向右，始终无缘认识。某日他们在公园里邂逅并产生情愫，他将她的联系电话留在了小纸条上，谁知小纸条竟被雨水淋湿，号码模糊；而她，苦等他的电话而不得。最终，他们错失了彼此……

与此相似的爱情故事也许天天都在发生，因为人们总是神秘地固守着自己的行走路线。比如，在商场里，人们几乎都沿着同样的路线行走，这一点你也许从未发现，但的确如此——研究购物学的学者们发现，世界各地绝大多数的购物者走进商场后，都喜欢往右边走。当然，人们并不是向右急转弯，而是很随意很平稳地就转过去了。

了解这一点，对店铺的管理者有何意义呢？请先看以下案例：

一家服装店以经营妇女、男子和儿童的衣物为主，顾客大部分是女性。管理者将女装区和男装区分设在商场入口的左方和右方，将童装区设在商场后部。他们希望女性顾客们在给自己买完服装后，能顺便为丈夫和孩子挑选一些衣物。也许他们想得没错，事实上大多数丈夫和孩子的衣服都由身为妻子和妈妈的女

图3-1

性购买。

可是管理者们失望了，他们发现只有女装的销售差强人意，男装和童装少有人光顾。经过多日观察，他们发现，大多数女性顾客入门后，都会向右边走，等到发现自己置身于男装区后马上调转方向直奔商店左边的女装区。在女装区逛完后，她们大都不再回到右方，甚至也不会到右后方卖童装的地方去了。

为什么这些女性顾客在看完女装后，很少再光顾男装和童装区呢？因为她们没有从左往右行走购物的习惯。可以推测，如果管理者将女装和男装的陈列位置调换一下，女性顾客（主要的顾客群）就会在最短的时间内被吸引，在心满意足地逛完女装部之后，受到右偏性行走习惯的影响，自然而然地走至童装区和男装区为家人购物。

从这里，我们可以知道，入口处的右前方通常是比较好的地段，此处应该用来陈列那些最能吸引主要顾客群体，或商店最想推销的、利润最高的商品。

如果一个商店不以女性为主要顾客群，则可以将购买频率高的商品以及普通男性用品摆在入口处的右前方，将挑选性强的商品以及妇女儿童用品摆在距入口处较远的地方，因为女人比男人更有耐心走到更远的地方仔细选购。

与右偏性行走习惯相伴的，是人们使用右手向右边取物的习惯。当人们面对陈列架站着时，最方便的就是伸手去拿身体右侧的东西，而较少伸手去取左边的东西。因此，如果商店希望向顾客推销什么商品，就应该把这些商品放在顾客所站位置的右侧。比如，当我们要在一列货架上同时陈列普通商品、品牌商品以及我们正全力推销的商品时，就应该按从左至右的顺序来加以排列。

人们如何移动看起来似乎很简单，但它却在无形中决定了商店的布局。能否把握人类的移动习惯，在某种意义上决定了店铺能否获得高额利润。

⊙“磁石点”理论

不管人们是习惯于向左走还是向右走，他们在大型卖场里的行走路线，多半还是会与主通道保持一致，也就是说会从入口经由主通道来到出口。这一点决定了卖场的某些位置总是像磁石一样，比其他位置更能吸引顾客，这就是门店“磁石点”理论。

一般超市中的磁石点可分为四个。

第一磁石点是位于卖场主通道两侧的地方，因为它是顾客的必经之地，所以也是商品销售最主要的场所，此处陈列的应是顾客购买量大、购买频率最高的商品，如蔬菜肉类、日用品等。此外，这里是商家的“门面”，它可能会决定顾客对于该超市的整体印象和评价，因此在商品陈列上应多费心思。从长远看，那种出于短期促销目的，总是在主通道两侧陈列过季、滞销等降价商品以此吸引顾客注意的做法值得商榷，因为这可能会给顾客造成低价滞销的整体印象，有损商店在顾客心目中的形象。

第二磁石点位于主通道顶端，通常处于超市最里面的位置。这里应当陈列对顾客最有吸引力的商品，比如新产品，因为消费者总是不断追求新产品；其次可以配置部分季节性商品，利用商品的季节性差价形成对顾客的吸引；另外，陈列生鲜熟食品也比较恰当，因为可以凭借其高亮度（生鲜熟食品区所需的光亮一般高于其他区域）和飘出的香味吸引顾客。当然了，在此处陈列女性用品远比男性用品更为恰当，因为男人们总是没有耐心“长途跋涉”到这儿来。

第三磁石点位于卖场的出口位置，该处的商品陈列要尽可能地延长顾客在店内的滞留时间，刺激顾客的购买欲。一般来说，第三磁石点主要陈列这样一些商品：特价商品、自有品牌商品、季节性商品、购买频率高的日用品等。

第四磁石点分布在超市卖场副通道的两侧，这是个需要让顾客在长长的陈列中给予注意的位置，因此在商品布局上必须突出品种繁多的特点，商品的陈列要更加注重变化，可以有意利用平台、货架大量陈列，突出商品位置标牌，在道路两侧设置特价商品 POP 广告，以减少顾客在购物过程中的厌烦心理，引起顾客的注意。在大型超市中，第四磁石点的商品主要是服装、杂货等。

超市的“磁石点”理论是建立在对顾客心理和行为的大量研究观察的基础上的，实践证明行之有效，对商品陈列有很强的现实指导意义。

⊙ 倾斜的陈列

在大街上你是怎样走近橱窗的，是正对着橱窗还是从橱窗的侧面走过来？当然，大部分时候你都是从橱窗的两侧走过来的。这个道理很简单，商店总是立在马路的两边，你多半不会在看到橱窗后横穿马路跑过来购物。可是橱窗陈列者或橱窗设计者似乎没有考虑过这个问题，他们总是让橱窗的正面对着马路对面，将有关的广告牌或宣传品面向马路对面展示。

某商店设计了一个很漂亮的广告牌，他们没有把它垂直于墙面挂着，让从两边过来的人都能看见，而是让它与墙平行，这样只有从街对面过来的人才能看到。然而，经过观察，只有 5%～10% 的潜在顾客会从广告牌正面走来，也就是说有90%～95%的顾客是看不到这个广告牌的。

这是一个非常容易解决的问题，但被许多人忽略了。事实上，只需要把展品向某个方向倾斜一些就可以了，在上面的案例中，只要稍微改变一下该广告牌的位置，让它垂直于墙面挂立，看到的人就会很多。

在商店内部，由于我们通常都是靠右侧通行和逆时针购物，各种展示品或商品、广告牌等都应该向左边倾斜一些。这样，行走的人们可以从比较远的位置就看到，产生观看或选购欲望，而不至于视而不见，或是走到跟前才发现。

2. 眼睛的秘密

眼睛对人们购物会带来什么影响呢？

眼睛要帮助我们看商品，其中有人视力好，有人视力差，所以有的人看得清楚一点，有的人看不清楚。这一点没错。不过，购物中的眼睛可不仅仅是近不近视这个问题那么简单，它们要往哪里看、它们喜欢怎样看、哪些商品能够被它们看到、哪些对它们来说形同虚设（排除近视的情况），这都是有秘密的。

⊙ 利用好最佳视线

购物者要购买什么商品，取决于他们能看到什么商品。一件商品再好，如果不在购物者的视线范围以内，也不可能被顾客购买，这个道理不言而喻。问题是，我们是否真正把商品放到了顾客的眼皮底下了呢？或者说，顾客是不是对所有出现在面前的商品，都给予了同等强度的注意？

研究表明，顾客的眼睛总是有所选择的，他们总是先看自己最容易看到的东西，如果一件商品需要仰起头、低下头或是蹲下身子才能看到，他们可能就不去看了。

通常情况下，顾客的视线有个最佳范围。如图3-2所示，那基本上是比眼睛的高度略低（身高×0.9），与视线大约成30度的一个区域，这也是顾客的手最方便取物的一个区域，被称为商品的黄金陈列区。

目前我国商店里普遍使用的陈列货架一般高165～180厘米，长90～120厘米。在这种货架上，黄金陈列区不是上段，而是处于上段和中段之间的段位，也就是一般货架从上往下数的第二、三层，它是顾客眼睛最容易看到、手最容易拿到商品的位置。

此位置一般用来陈列高利润商品、自有品牌商品、独家代理或经销的商品，如果此位置用来陈列无利润或低利润的商品，那就如同在肥沃的土地种下了不值钱的庄稼一样，白白浪费了好地方。

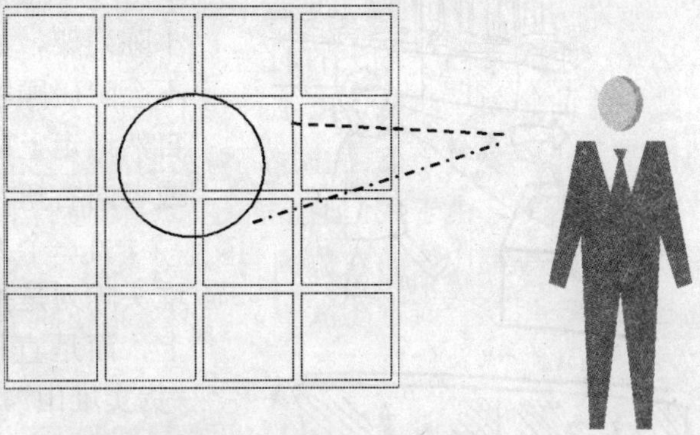

图3-2

商场里黄金陈列区的空间有限，其余大部分的陈列空间都不太理想。如果在人们不容易看到的地方不陈列商品，商品就不会有被闲置或忽略的危险，但是，大多数商店都经受不起这种“陈列”，商场的货架上始终会摆满商品。

有没有一些办法可以变相扩大黄金陈列区呢？聪明的商家通常会这样做：

一、将体积大、笨重、易破碎或利润低的商品摆放在货架底端，将体积小的商品放在黄金陈列区。

体积大的物品相对来说比较引人注目，所以即使放在黄金陈列区之外也容易被顾客看到。体积小的商品容易被人忽视，但陈列在黄金陈列区，就很难被顾客忽视了。况且，商品体积小，同样大小的空间里陈列的商品种类或数量才相对较多，黄金陈列区的空间也就得到了最大的利用。

二、将色彩鲜明、形状突出或标志醒目的商品陈列在不佳的位置上。

这类商品如同体积大的商品一样，相对比较容易吸引顾客的眼球。营业员在陈列物品时应尽量将陈列在下端或者上端的商品的醒目之处朝向顾客，必要时把它们的宣传物品摆上去。对于一个商店来说，既然进了那么多物品，就不可能只靠几样东西赚钱，应当让每种商品都创造出最大的利润。

三、在货架的最上层陈列已有一定知名度的商品。之所以如此，是因为这些商品已有一定的知名度，非常容易被顾客发现，无需占用黄金陈列区。

⊙ 人们总是向前看

购物时，人们总是喜欢顺着通道向前看。可是，商品的陈列却总是与顾客的视线相平行，如果顾客不侧转头部，他根本看不见周围的商品。这种冲突是必然的，因为如果商品陈列架同顾客的视线正面相对，那就意味着顾客被拦在陈列架的一端，不可能再前行了。

如何在这种冲突中让更多的商品落在顾客的眼中呢？

图 3-3

一个很好的方法就是在通道中间设置小陈列架，如图 3-3 所示，所占空间较小，不会阻碍顾客通行，顾客在行走中可以很自然地走上前去选购，而不用将头向左扭或者向右扭。

另一个方法就是进行堆头陈列。所谓堆头陈列是指不将商品陈列在固有的货架上，而是直接将商品堆在一起。俗话说，“货卖堆山”，堆头陈列能突出商品的丰富性，对顾客有很强冲击力。

堆头陈列包括的内容很多，如货架端架形式、通道尽头的堆头，以及门店出入口的专用促销平台，等等。不同形式的堆头有不同的作用。货架端架主要是该种类商品的一些促销商品的陈列，例如在饮料区设置某个果汁品牌的堆头；通道中的堆头相对于端架商品而言，是更具有产品特色或者价格更灵活的商品；门店出入口的专用平台上通常陈列门店促销活动的主题商品或者主打商品。

堆头的位置很灵活，但通常都会比较容易落入购物者的眼中。事实也证明这种方法的确能吸引顾客的目光，带来很大的销量，以至于这种位置成了许多经销商、代理商的必争之地和商场用来额外赚钱的新方式。

堆头陈列是一门学问，稍不注意，效果就可能适得其反。比如，如果一个堆头上面摆的是 A 产品，下面塔台的箱子标明的却是 B 产品，远远望去就会让人丈二和尚摸不着头脑，喧宾夺主了。又比如，堆头堆得太高，顾客无法伸手拿到商品，也会影响销售效果。

许多孩子都喜欢吃喜之郎果冻，那金黄色的透明包装的确很抢眼，看了就令人产生食欲，但是，在广州一家大卖场，喜之郎果冻的销量并不好。商场管理者后来发现，导致销量不好的原因居然是堆头陈列太高了，有的堆头底部已超过 120 厘米以上，让很多孩子无法伸手拿到产品。

如何让堆头吸引顾客的目光？有几种基本但很有效的方法。一是放品牌展示牌在堆头附近，如三角架或者易拉宝。二是在堆头上放些有关促销信息和品牌传播的宣传页。三是理货员定期“清理”堆头，故意把堆头理乱一点，让堆头缺上一两块，造成有大量消费者购物的现场效果。

此外，堆头的颜色、造型、体积是否有冲击力，也直接决定了它对购物者的吸引力。

镜头一：

某品牌在通道尽头设置了一个房型的道具，然后将产品陈列其中。房子的颜色是红色的，产品的外包装是白色的，红白造成的反差很大，给顾客以很强的视觉冲击力，因此，吸引了不少顾客的眼光。尤其是一些孩子，对那房子很感兴趣。

镜头二：

某品牌没有采用什么造型，只是把它的产品摆成了一个大大的正方形，但依然吸引了很多顾客前去购买，因为此堆头的最大特点就是体积非常大。

镜头三：

百事可乐最新设计的堆头形象在卖场成为一道难忘的风景。堆头的底座上，是 F4 超级明星组合的大幅海报，海报的主色调为深蓝色。堆头上一支支百事可乐也以其深蓝色传递出饮料清新、滋润的口感，整个堆头从上至下色调统一，充满诱惑。

⊙ 爱看商品的正面

人与人交往的时候，喜欢看着对方的脸，面对面交流，因为，面对面的交流最直接，最能抵达彼此的内心。购物者在决定购买一件商品之前，也需要先与商品进行良好的“沟通”，仔细地观察，全方位地考量，看对方是否符合自己的需要。所以，商场里的购物者不但喜欢向前看，而且喜欢看商品的正面。

为了满足购物者的这一需要，商家就要尽量把商品朝向顾客的眼睛摆正。陈列在眼睛上方的商品应该有一个向下的俯角，陈列在下方的商品应该有一个向上的仰角，左右放置的商品则尽可能以站立的顾客为中心，朝向顾客配置。具体的做法如图 3-4 所示。

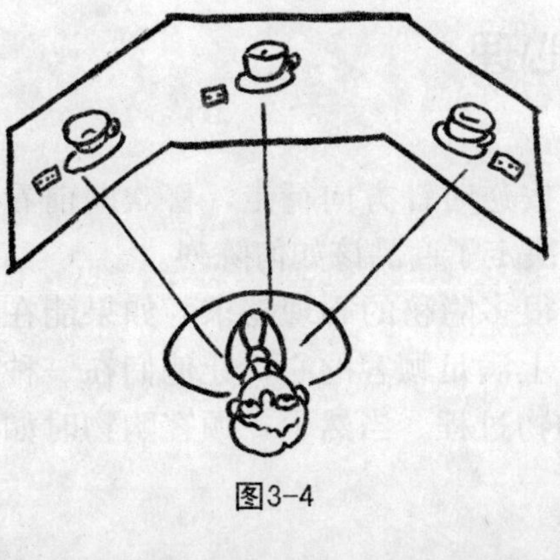

图3-4

不过，和人们喜欢看东西正面的习惯有点矛盾的是，某些商品更适合从其他角度看，比如，工艺礼品、时装适合仰视，当它们被陈列的位置高一些时，更能引人注意，化妆品、金银首饰则适合俯视，这正如大部分的女性都适合从左看，左脸总比右脸更动人一样。

⊙ 从上到下的打量

一个女孩向男朋友抱怨说，未来的婆婆第一次“接见”她时，眼睛像显微镜般，将她从头看到脚，令她自信全无。

其实，女孩不应该抱怨，“从头看到脚”本是人们共有的视觉习惯，人们的视线习惯于从上往下移动，而不是左右移动。

商场里同类的不同品种的商品多半都采用垂直陈列，而避免横向陈列，与人类的这一视觉习惯有关。如果同类商品横向陈列，顾客在挑选同类商品的不同品种时，会感到极不方便，并且因此认为陈列系统混乱。而当他们看到同类商品垂直陈列时，他们会觉得该类商品很有系列感，很丰富。

此外，同类商品垂直陈列会使得每类商品都平均享受到货架上各个不同段位的销售利益。我们知道，货架上不同段位的商品，顾客关注度是不同的，如果同类商品横向陈列，就会使有的商品销售量奇佳而有的商品滞销，这对商场来说是很不利的，对供货的厂家来说也很不公平。

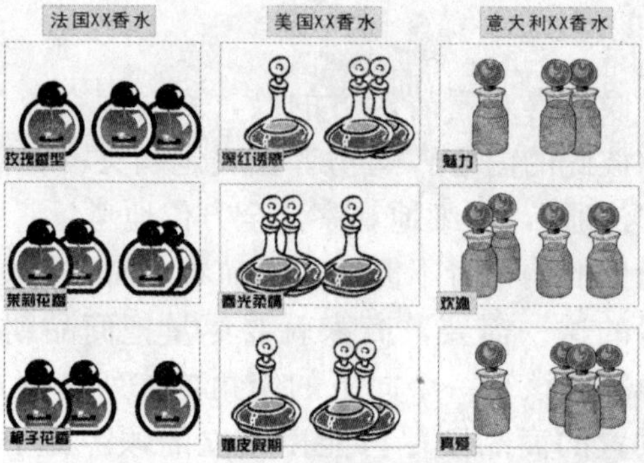

图3-5

3. 隐秘的心理

我们已经知道，顾客在购物中喜欢向右按逆时针方向行走，喜欢向前看并观察商品的正面，这些行走和观察习惯直接决定了商品该如何陈列。

我们可能还不知道，顾客在购物中还有很多隐秘的心理需求，如果能在陈列商品之前充分洞察它们，就能在最大程度上满足顾客的心，让他们在一种非常自然的毫不受阻的心态下，愉快地完成购物过程。当然了，顾客购物时如果十分从容和愉快，就意味着他们能购买更多的商品。

且让我们来为顾客的心理解解密吧！

⊙ 容易被便宜的商品打开钱袋子

许多人都曾有过这样的体验：一群人聚在酒桌上，刚开始，有点冷场，每个人都似乎有所戒备。酒过三巡之后，似乎是在不知不觉间，有人开始起哄，有人开始说笑话，引起一阵大笑，于是人们都忘记了自己的戒备心理，七嘴八舌打开了话匣子……

顾客购物时通常也会经历这样一个心理历程，一开始对商品心存戒备，等到买了一两件商品之后，钱袋子打开了，就会慢慢忘记省钱的初衷，沉浸在购物的快乐中，这时候，即使是昂贵的商品，也很难让他退避三舍了。

所以，对商场来说，研究如何打开顾客的钱袋子绝对是非常重要的。在平时的购物中可以发现，顾客见到物美价廉的商品，往往会毫不犹豫地掏钱出来，因为这笔钱数目很小，无需过分考虑。而一旦钱袋子被打开，消费欲望就很难控制了。反之，顾客见到价格昂贵的商品就会心生犹豫："买它值不值呢?""花这么多钱能给我带来多少便利呢?""这么贵的东西，万一买得不合适怎么办?"这么一琢磨，钱就不那么容易出来了。而且，顾客面对过于昂贵的东西有可能产生类似被打劫的恐慌，或有一种觉得自己很穷的挫败感，这种感觉会让他捂紧钱袋子，失去购物的兴趣。

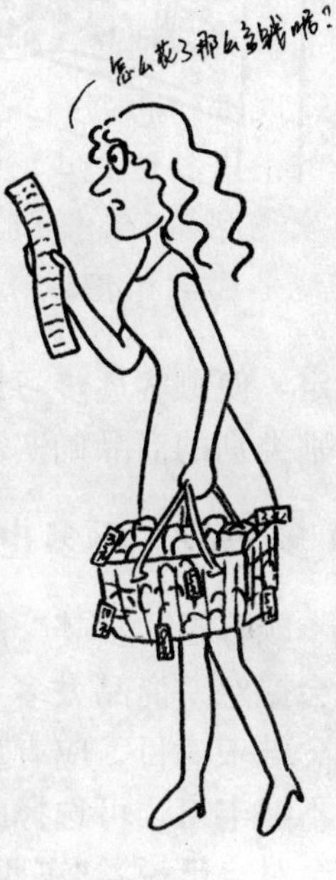

图 3-6

根据顾客的这种心理，商场可以在顾客最先经过的地方陈列价格便宜或是家居生活中常用的商品，顾客一方面觉得非买不可，另一方面会想："好便宜啊，可以放心地挑了！"于是花钱如流水。其实这些看来便宜的商品购买多了，顾客花的钱自然也不会少，但他们觉察不到。怪不得许多人在收银台拿着小票时一副不敢相信的样子，甚至还会核算一遍，嘴里念叨着："为什么没买什么大件，也花了那么多钱呢?"

⊙ 喜新厌旧

冯小刚在电影《手机》里创造了一个流行词：审美疲劳。他想告诉人们，结婚多年的夫妻之间容易产生厌倦，熟悉的地方没有风景。无论这是不是真理，我们都得承认，大多数人的确有一种喜新厌旧的心理。

图3-7

走进商店的顾客更不例外，他们希望商店天天都不一样，永远有新鲜感。如果每次走进商店看到的都是同样的商品，同样的陈设，他们就会心生厌倦，并且觉得商店里滞销的商品太多，商场缺乏活力。

所以，无论是多么精彩的陈列，都不能让它一成不变，必要的时候，如季节变化，节庆来临，需进行品牌推广的时候，可对橱窗陈列与店内陈列酌情调整，以保持柜台的新鲜感。具体到每一种商品，无论其销售如何都要经常更换，以给人生意兴隆的感觉。

当然，商店陈列在多变的同时也要少动。少动是指一种或一类商品的陈列位置要相对稳定，使顾客逐步习惯某类商品的固定销售位置，给顾客以方便的感觉。如果个别类别的商品确实需要更换陈列位置，应做到标志醒目，寻找方便。

⊙ 多乎哉，不多也

顾客是“贪婪”的，总是喜欢货架上满满地陈列着货物，虽然他们嘴上可能会抱怨“商品太多了，令人眼花缭乱!”但事实上他们喜欢那种感觉：丰富多彩、琳琅满目、应有尽有。他们不喜欢商场很“空旷”，“空旷”使他们觉得商品不够丰富，可选择的余地很小。当看到货架或柜台上的商品为数不多时，他们会对自己说：“东西太少了，没什么可挑选的!”或是：“这也许是别人买剩了的!”从而失去购物兴趣。

从商店本身的利益来看，货架常常空缺，会白白浪费卖场有效的陈列空间，降低货架的销售和储存功能，又相应地增加商店库存的压力，降低商品的周转率。

所以，商品管理者要学会对自己说：“多乎哉，不多也!”在陈列商品时尽量做到满陈列，即商品的种类要丰富，数量要充足，以刺激顾客的购买欲望。

一项调查资料表明，能做到满陈列的超市和做不到满陈列的超市相比，其销售量按照不同种类的商品计算，可分别提高 14%～39%，平均可提高 24%。

怎样才能做到满陈列呢？是不是一股脑儿将所有商品毫无章法地摆在卖场上，将柜台、货架塞得满满的？当然不是了。

首先，应做到单品陈列与商品品种数的有机结合，可运用业界广泛采用的计算方式：每个单品在货架上的最高陈列量通过排列面设计数来确定，如长 1 米的陈列货架，每一格至少要陈列 3 个品种；每一平方米的卖场上商品的品种陈列量平均要达到 11～12 种。

其次，商品之间要留有一定的间隔。

再次，把商品组合成一定图形或图案摆放，以增加丰富感。

最后，要注意及时补货，避免出现“开天窗”——脱销的局面，为此，各类商品（有效期短的商品除外）应当有至少比购买周期多 1 周的库存。

⊙ 他们看到了什么

某商场的一个座位区设在女士内衣的附近，所以，经常会发生这样的状况：女人走到展区旁，开始挑东西，突然发现不远处的座位区有人盯着她们看，而且是男人。面对这样的注视，女人如芒在背，有的勉强鼓足勇气继续挑选，有的立即放弃购物。

图3-8

从这个例子中我们知道，某些商品带有一定的隐私性，顾客不希望自己的购买行为暴露在众目睽睽之下。在购买这一类物品时，他们做不到像买一盒饼干那样从容。他们在买之前可能要看看这类物品所在的区域，看看周围有什么人。如果这是一个闹哄哄的区域，有很多人走来走去，他们就会失去购买的勇气。

有的小型便利店将夫妻用品摆在收银台附近，以为这样最方便，人们可以拿着就走。这种陈列方式对于国外顾客来说可能并无不妥，但对于我国的购物者来说，却不是最理想的。虽然现代人在观念上越来越开放，但还是会受到传统思想的影响。试想，要在众多的、排队准备结账的顾客的注视之下挑选此类物品，需要多大的勇气！对这类物品的销售情况尚无调查数据，但是我们基本可以认为，这样的陈列位置是不利于销售的。事实上，这类商品在商场中所占的比重通常不大，因此还是比较好安排的，只要将其安置在有遮挡物的地方就可以了。当然，也不能放置得过于隐秘，让顾客看不到，那在陈列上走了另一个极端。

一些需要试用的商品也应当陈列在比较隐秘的空间里，比如床垫、女性头饰用品等。在购买床垫前，人们大都希望通过坐一坐、躺一躺来感受一下，如果将它放在一个非常暴露的人来人往的位置，躺下的人会觉得非常难堪，因为这是对他形象的一个挑战。所以，应该把这些物品摆放在避开公众视线的地方。在购买头饰之前，女性顾客通常都会先试戴一下，为此她们需要先“披头散发”，而且要对着镜子左顾右盼，寻找感觉，没有哪个女人希望自己这种追求“臭美”的模样被别人看见，无论如何，淑女们还是不喜欢在众人面前梳妆打扮的，所以，这一类物品也应该回避人多的地方。

⊙ 止痛剂的销量为何不佳

美国马萨诸塞州的一家地区性购物中心的连锁杂货店的商品销量一向很好，止痛剂区的销量尤其令人满意。但是，从对许多药店和止痛剂区的研究来看，这里的一个关键指标——成交率，即真正购买止痛剂的顾客与顾客流量之间的比率相对来说并不高。也就是说，在这家店里，许多顾客都看了这些止痛药品，但是最后却没买。按理说，药品的成交率应该是很高的，因为人们只有在真正需要它时才会去看，而不像有些商品适合人们在闲逛时随意浏览购买。那为什么这个杂货店的止痛剂销量会不高呢？

经过几天的观察，有关人员得出了结果，导致止痛剂销量不佳的原因是它们被摆放在饮料区附近。这个结论有点奇怪，因为买饮料的顾客非常多，商店本以为他们可能顺便走来购买药品从而增加其销量。事实上，饮料的主要顾客群体是青少年，他们进店后就直接奔向饮料区，但他们身体健康充满活力，根本不需要止痛剂。真正需要这些药品的是一些中老年人，他们通常会站在药品附近，仔细寻找他们常用的牌子或者算计购买哪种更划算。但是，他们却不能安静地看他们的药品，因为有许多年轻人在他们身边跑来跑去，甚至推推搡搡。这些真正可能购买止痛剂的人被打扰了，他们讨厌吵闹，讨厌拥挤，讨厌没有一个安静的空间来仔细选购，于是他们中的很多人宁可匆匆中断购物，空着双手离开。

了解了这一点后，杂货店决定把止痛剂陈列在商店里最偏僻最安静的地方，尽管光顾此处的顾客总数少了一些，但是总体的成交率却上升了，销售量上升了15%。很显然，由于给了顾客一个安静的空间，他们不愿被打扰的心理得到了满足，就可以慢条斯理地挑选商品，进而做出购买的决定。

由这个例子我们可以总结出，一些需要顾客仔细阅读使用说明或谨慎选购的商品，应该放在人群较少通过、光线充足的地方，比如某个角落，或者某个区域的深处。

同样的道理，一些需要较长时间试用或感受、体验的商品也不适合放在人群经常经过的地方，比如运动器材、保健器材等。这些商品往往价格不菲，人们在购买前需要经过较长时间的试用。如果你是一个爱逛商场的人，你就会发现，总有一些人倚坐在那些保健仪上，闭着眼睛，慢慢地感受着。如果顾客的感受过程受到了打扰，那商场就别指望顾客会购买了。

当商场无法为这些商品找到相对独立的陈列空间时，可以通过采取一些措施来营造一个安静的空间，比如，可以用展品将该区域围起来，将试用产品的顾客围在中间。为了减少嘈杂声音的干扰，还可以放一些轻柔的音乐，将顾客带到梦幻般的境界中。甚至可以让顾客戴上耳机，阻隔外界噪音。

此外，洋酒、名烟、名茶、珠宝、高级礼品等比较高档的消费品也不适合陈列在有太多顾客经过的地方。这类商品本身不是普通消费者所能消费得起的，其目标顾客群往往是少数比较富有的人群，因此，高人流量对它没有多大意义，反而可能带来负面影响。顾客在购买此类高端商品时并不希望被打扰，他们希望能有机会好好研究、比较、挑选，而且此类顾客对购物环境和服务质量的要求相对较高，一旦被打扰，他们很可能挥挥衣袖就离开了。

在考虑商品特点的同时，我们要充分考虑购买群体本身的特点，比如，老年顾客喜欢清静，青少年喜欢热闹，所以以他们为购买对象的商品显然应陈列在不同的地方。孕妇、残障人士行动不便，为他们提供的商品就要放置在少有人行的角落。

⊙“尖端恐怖症”及其他

当有尖端的东西朝向自己的时候，人总会下意识地感到恐怖，这种心理称为“尖端恐怖症”。同时，有尖角的东西容易把顾客刮伤，因此，在选用装饰性的商品陈列用具时，必须避免尖角，尽可能使用圆角（曲线），或者把角切割掉。

图3-9

商品的奇数摆放往往给人以紧凑感、变化感，更能博得顾客的青睐。这是一个比较费解的现象。事实上，人们似乎很早以前就比较喜欢1、3、5这类奇数，因为它们能带给人一种灵动、俏皮之感，而偶数则使人觉得过于对称、沉闷。甚至还有很多人都会觉得，奇数排行的人大多比他们的偶数排行的兄弟姐妹更为聪明伶俐。当然，这一点有待考证。

一般而言，距离远的东西容易让人感到高级和神秘，距离近的东西会让人感到熟悉和普通。因此，昂贵的商品应当陈列到与观众有一定距离的地方，以使之显得更加高贵和神秘，最好别摆在开放式货架上。

4. 决定陈列的感官需求

在对一件商品没有进行观察、触摸、闻、听、品尝或试用之前，你会购买它吗？很显然，回答是否定的，这就是为什么如今开放式销售大行其道、大型超市比比皆是的原因：顾客在购物前需要通过感官充分地感受商品。因此，零售商在陈列商品时，必须想尽一切办法，打动顾客的感官。

⊙ 别把顾客当盲人

在所有的感官中，顾客的眼睛是第一位的，他必须先看到，然后才会考虑是不是应该摸一摸，或者闻一闻——不经历这个过程的人只有一种人：盲人。只有盲人才会省略“看”这一步，而在听、嗅和尝试商品时更用心更敏感。

图3-10

顾客的眼睛会非常挑剔地看，看店铺的整体环境是否清洁卫生，看所售商品是否干净，并被整整齐齐地摆放。如果他们看到的是灰尘、污物、破损，他们就会心生反感。要知道，远在学会欣赏艺术之前，人们就已经懂得了讲卫生。许多顾客购物时越来越趋向于到大商场而抛弃小店铺，一个不容忽视的原因就是大卖场的购物环境通常比较干净舒适。

有的商店比较注意维护商品的整洁卫生，但忽略了购物环境的建设：

某经营日用百货的小商店靠近繁华的马路，途经的路人很多，但生意并不好。仔细观察，你会发现，商店的经营者很不注意维护环境，地上和墙上到处都有污物。由于靠近路边，灰尘较大，店内风扇的扇叶和面罩上都落满了灰尘。

可以想象，顾客一进店就受到一阵夹带着灰尘的风的热烈欢迎，心里怎么会舒服？脏风扇也许不能代表商店里的东西也是脏的，但是它会给人造成这种错觉。如果你认为“顾客需要的是商品，不会介意我的风扇是否干净”，那就错了，只有低消费群体才可能忽略你的脏风扇，但低消费群体能带给你多大的盈利空间呢？更何况，即便是低消费群体，在商品价格相同的情况下，也会优先选择购物环境相对干净的店铺。

因此，在陈列商品时，一定不可以忽略整洁与卫生。商品一定要擦拭干净再上架。在陈列中沾了灰尘和有了污损，一定要撤下来进行处理。顾客到来前和顾客离开后都要打扫现场。总之，无论何时何地，都不能让顾客看到灰尘和垃圾。

⊙ 陈列中的几何学

怎样才能让顾客一眼就看到商品，或者一看到商品就产生了解、购买的欲望呢？

消费者行为学研究发现，不同形状的商品的有机组合，容易产生强烈的美感，扩大对顾客的感染力；而相同形状的商品组合到一起，则容易产生单一感，不能带给人以视觉冲击。所以，商场在陈列物品时，只要不影响管理，就应该将不同形状的商品进行巧妙的组合，如在正方形器皿中装入圆锥状、曲线形的商品，或在圆形器皿中装入直线形商品等。

不过，更多的时候，商场只能将同一形状的商品进行集中陈列。这时候，如何将商品摆放成各种有趣的几何图形，就是一件非常值得研究的事情。通常，不同的几何形状带给人不同的美感，适用于不同的商品陈列。

线型

直线具有方向性及速度感，给人整齐有序的感觉，水平线能将观看者的注意力吸引到线的两侧，而垂直能使人的眼光沿线上下升降。汇聚于一点的放射线，由于所有光线集中于一点，设置于焦点的物品会格外醒目，而沿着线条配置的物品则会表现出安定感，同时，它通过辐射出的线的长短的变化还能表现动感。曲线则表现了转折、弯曲、柔软的特性。

放置于带有黑白色垂直条纹正方体上的物品一定会比白色正方体上的物品更引人注目。

质地柔软的商品或妇女用品通常采用曲线陈列。

面型

几何形的面如三角形、多边形、圆形、椭圆形等常常用于陈列设计。三角形易表现出安定感和流动感，在实践中被很多商店采用，其中等腰三角形用得较多；倒三角形通过打破三角形固有的平衡稳固感来吸引人的注意力。圆形及扇形美观大方。曲面具有破浪般的起伏流畅感，给人以无尽的遐思，适合于布匹等轻盈柔软物品的陈列，显示出流动美。

体型

各种锥体、柱体、球体、螺旋体都能为陈列设计灵活采用。陈列者可根据商品特性、商品包装形状大小、商品陈列区域的形状大小等，合理使用，灵活组合，变换出形式多样的陈列造型。比如，在中秋节前夕可将商品堆积成塔形，在塔内及塔的四周饰以彩灯，既展示商品，又创造浓浓的节日气氛。

色彩购物学

从婴儿时期开始，人就已经懂得识别颜色了。鲜艳的颜色是他们的最爱，最早吸引他们眼球的多半是红色或黄色。妈妈们发现，第一次把婴儿逗笑的玩具绝不会是黑色或灰色的。成人们同样如此，眼睛极易受到色彩的引诱，每当遇到鲜艳的或色彩感强烈的颜色，瞳孔就会下意识地放大，注意力会高度集中。

不仅如此，颜色还会影响人的心理感受、精神状态。艳丽、明快的颜色让人心情愉快，精力充沛；灰暗的颜色则让人心情压抑、郁郁寡欢。医生们甚至会利用色彩的不同功能来医治病人。

了解了这一点，我们就要思考，在商品陈列中，应如何充分利用鲜艳、明亮的色彩来吸引顾客。

第一种做法是尽量将不同颜色的商品组合在一起，打破颜色的单一感，强化对顾客眼睛的冲击力。

第二种做法是利用反差较大的颜色的搭配来制造某种特殊的效果。反差大的色彩之间的搭配往往能给人带来很大的想象空间，产生一种特殊的美感。红色与白色搭配，显得明朗而热烈，所以民间俗语说："红配白，了不得"；黑色与白色搭配，显得泾渭分明；蓝白色搭配给人以平和感；红黑色搭配显得热烈而庄重。这几种颜色搭配都能使商品更加引人注目。

第三种做法则反其道而行之，让整个销售区域只呈现一种色调，从而产生统一、纯净的美感。

一家时装店经营得非常有特色，所售商品只有黑白两色，或者是全黑色的，或者是全白色的，或者是黑白两色的，顾客因此觉得这家商店非常有品位，能给人留下深刻强烈的印象。

有时候，为了增强某些商品的陈列效果，需要对商品的陈列背景进行装饰和设计，比如橱窗背景、首饰柜、陈列盘、陈列架等。通常，在商品色彩丰富的情况下，应选用低明亮度、鲜艳度的冷色如乳白、象牙白、灰色等为背景，反之则使用比较鲜艳明亮的颜色。此外，还可以运用“通感”手法，让背景色彩传递出商品的香味或触摸感，这有直接刺激购物欲的作用，比如：烤鸭、烧鸡用火红的背景色烘托，能更增诱人的香味；冰淇淋、雪糕以海蓝及白色作陪衬则更添清凉感。当然，无论如何，背景色都不应抢了所陈列的商品的风头，喧宾夺主。

⊙ 模仿音乐的节奏感

当零售商感到在商品、价格、促销和地理位置方面很难获得差别优势时，店铺本身便提供了一个制造市场差别的丰富机会。事实上，许多零售商倾向于把他们的商店打造成剧院，以此来吸引顾客。墙壁和地板代表舞台，灯光、陈列用具、POP 等代表布景，商品代表演出。

商品的确是在演出，它们用自己的活色生香表演着一出出诱人的生活情景剧。在这些生活情景剧中，音乐是不可或缺的，但音乐不一定来自大喇叭里的歌曲，也不必非得是飘浮在天花板四周的背景音乐，音乐可以产生于商品自身，成功的商品陈列本身就是无声的音乐，能传递出强烈的节奏感。

始终重复一个音，没有音符的跳跃，音乐就不成其为音乐。同样的道理，商品如果总是按同样的形状重复排列，没有大小、高矮、明暗、粗细的变化，就会令人一览无遗，毫无趣味可言。因此，变化感是演绎商品节奏感的核心。

对大多数营业员来说，利用商品本身的形状、颜色的不同来制造有节奏感的陈列，是他们力所能及的。以下两种方法十分常见：

渐变法：将商品按照由矮到高、由小到大、由细到粗或相反进行陈列，将商品按照由冷色到暖色、由灰暗色到明亮色或相反进行陈列。

间隔法：将大小、高度、颜色和粗细不同的商品按一定的间隔距离重复摆放，有如音符与音符的组合按一定的时间间隔不断“反复，交叉反复，再现”一样。

渐变式陈列

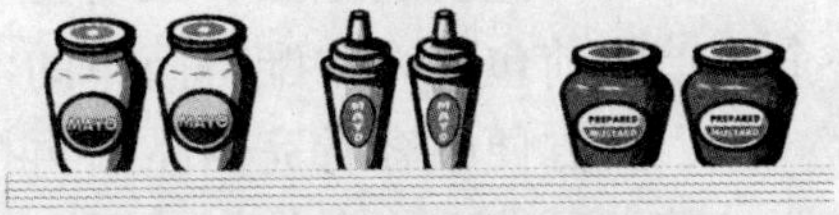

间隔式陈列

图3-11

此外，太少或摆放得过于分散的商品无法营造出明亮感，必须通过集聚的方式来加以弥补，这些集聚在一起的商品，如同音乐中的重音或强音，能给人深刻的印象。

⊙ 伸手可取法则

一旦顾客对所陈列的商品产生了良好的视觉印象，就想把商品拿在手中，希望能对商品有进一步的了解，再决定是否购买。

满足顾客的这一需求非常重要。在传统的柜台式销售中，营业人员很多，他们可以凭借自己的专业知识为顾客进行详细的商品介绍，并热情地鼓动顾客购买，但由于顾客不能充分研究和感受商品，多数顾客的购买欲望未能充分调动起来，因此影响了销售量。今天，除了部分易受损伤、小件易失窃或极其昂贵的商品以外，绝大多数商品都采用开放式销售，其目的正是要让顾客能有更多的机会与商品亲密接触，以便最大程度地激发他们的购买欲。

因此商店在陈列商品时，不但要做到“显而易见”，而且必须能让顾客“伸手可取”。为此，需要注意以下几个问题：

图3-12

一、商品陈列的高度要适合目标顾客。在某些超级市场中，高个子的男工作人员常常将商品陈列到自己的手拿得着的地方，而没有考虑到，到超市购买这些商品的顾客大多数是女性，她们极有可能拿不到商品。要知道，女性平均身高要比男性矮 10～20 厘米。有的儿童玩具被放到很高的位置上，让儿童不停地起跳还是“摘不到桃子”。有的老年用品被搁到了货架底层，工作人员没有想过，对老人们来说，弯腰或下蹲是多么困难的事！还有些商品需要进行量感陈列——即需要突出商品的量来显示廉价性或丰富性（如食品、日用品等）——因此商品在客观上需要被堆得很高，工作人员却没有在近旁另外再陈列一些商品让顾客触摸……

二、对一些挑选性强、又易脏手的商品，如分割的鲜肉、鲜鱼等，应该有一个简单的前包装，并配备简单的拿取工具，方便顾客挑选。

三、要方便顾客看完商品后再把它放回原处。如果拿取或搁放一件商品很麻烦，甚至可能会将它打坏，顾客就可能不愿意拿，或者拿到手也无法放松地挑选观看，这样一来，商品的销售就会因陈列不当而受阻。事实上，如果被陈列的商品与上隔板保持 3～5 厘米的间距，就比较容易取放了。

◉ 被破坏的商品

作为探索外部世界最有力的工具，人类的手有着强烈的触摸一切物品的欲望，只要是能够抓住的，它都会透过自己细密的触觉神经去好好感知一番。这就是说，人们天生就喜欢东摸西摸。

现代商场里的顾客，更是有着充足的触摸商品的理由。首先，商店里不再有很多对商品非常熟悉的营业员来为他们导购，除了通过充分触摸感知之外，他们无从了解商品。其次，所有的商品都越来越讲究包装，从外表看都非常吸引人，但总有一些商品是金玉其外、败絮其中，必须要仔细触摸和研究才知道好坏。再次，某些商品只有在触摸后，才知道它的性质，比如纺织品、皮革制品等，光凭肉眼，人们很难知道它是全棉的还是混纺的，是牛皮的还是人造革的。

可是大多数的商家都不希望商品被顾客“染指”，他们的想法听起来有一定道理：顾客那么多，要是个个都去摸一下，商品很快就会弄脏，而弄脏了的商品很难卖出去；为了给人更精美更高档的感觉，为了更能吸引人的眼球，大多数商品都经过了精美的包装，如果消费者个个都去拆开来摸，包装不就被破坏了吗？包装被破坏了，还好卖吗？

不让顾客“摸”，违背了人们购物的心理需求和习惯，结果就是被顾客抛弃：

一位创新能力很强的出版商策划出版了一套关于种花的书。他制作了一个书盒，将花卉的种子、泥土和书放到书盒里一起出售，方便读者。说真的，这是一个很不错的制作概念。可是，为了防止翻阅者顺手牵羊将种子偷走，他让工人用透明胶将书盒的边缘封住。这小小的举动令书的销量出奇地差：书店里，读者很想翻看书的内容，也很想摸一摸种子和泥土，但不知道能不能撕开透明胶（同时也觉得相当麻烦），在犹豫了几秒钟之后，他们多半会不自觉地摇摇头，放下书盒走开。

其实，商家的这些想法有点类似于因噎废食。恶意破坏商品的顾客终究是少数，无论他们怎样触摸，被他们弄脏或弄坏的商品比例都会很小，实在不值得为避免这小小的潜在的损失而失去众多顾客——他们将因无法触摸商品而放弃购物。况且，商家完全有办法圆满地解决这个问题，比如，拿出其中的一件商品，拆开包装，让顾客尽情地感受和触摸。

除了提供触摸品让顾客尽情触摸外，商场还要通过服务告诉购物者：所有的商品你们都可以触摸。

图3-13

这是什么意思呢？首先，物品的陈列不要过分追求整齐，不要堆叠得很险，令顾客觉得一摸就破坏了营业员的劳动成果。其次，如果顾客触摸半天，把商品弄得乱乱的却又不买，别一脸不高兴地责备。总之，顾客想摸就让他摸好了。要知道，顾客的心理就像六月的天、小孩的脸，说变就变，买或不买往往存乎一念之间，一点小小的不快就可能使他们放弃购物。

下面的案例很好地说明了这一点：

一位顾客走进了床上用品商店，她想给自己和孩子各买一套床上用品，因为他们刚搬了新家。看见漂亮的床单和被褥，她忍不住一次次伸手去摸，还试图躺到软软的席梦思上去享受一下。营业员在一旁不停地提醒她别把床单和被褥弄乱了。最后，顾客一脸不快地走了出去，什么也没买。

⊙ 飘香的超市

研究表明，气味能够直接刺激人的嗅觉神经，引起神经兴奋或改变人的内分泌。好的气味可以使人心情舒畅，产生购买欲望。花店中的花香，面包坊中甜甜的糕饼味，炸鸡店的诱人肉香，茶叶店中的清香味儿，都在无形中诱惑着顾客前去消费。不佳的气味则会吓跑顾客，如刚装修好的货架上散发的油漆味儿，空气不流通所产生的潮霉味儿，等等。

有的商家很会利用香味来优化购物氛围，他们加大香味的浓度以吸引顾客，并对某些没有香味的商品进行香熏，或喷洒清新剂等。柠檬、柠檬香茅、尤加利、薄荷、松针等香料由于其香味有着稳定情绪、提升集中力、清净空气的作用，所以最受他们的宠爱。不过，有时候他们让顾客的鼻子享受过了头——香气制造得太浓，反而把顾客吓跑了。

当然，关键的决策在于选择什么样的香味，而不是香味的浓度。一旦选择错误的香气，即便十分浓郁，也有可能抑制顾客的消费支出。零售商必须根据其目标市场精心地选择他们使用的香气。研究表明，女性比男性有更好的嗅觉能力，更偏爱浓郁的香味。年龄和民族背景也是影响因素。随着年纪变老，人的嗅觉敏感力也会降低。65 岁以上的人有一半几乎没有嗅觉。

好莱坞一家女士内衣商店为了制造浪漫唯美的氛围，更好地招揽顾客，引进了一款非常浓郁的花香，随后却发现销量下降了。经过大量的顾客访谈和深入研究，商店发现，由于他们所销售的内衣非常符合男性对于女士内衣的想象，因此吸引的为女性购物的男士远比女性多。可是很多男士讨厌那种浓郁的女性味十足的花香，因此放弃了购物。

图3-14

了解了香味对于商品销售的影响，对于我们陈列商品有什么启发呢？

一是要充分利用商品本身的香味来吸引顾客，不要因包装或陈列不当影响了香味的发挥，让顾客从眼皮低下溜走，或是给自己制造麻烦：

吉列公司曾经以它的男用胶状除臭剂而引起轰动——不同产品具有不同的香味，每种产品都取了很吸引人的名字，而且很男性化。他们想用不同的香味来吸引不同的顾客，但是负责包装设计的人将这个创意破坏了。他们在盖子里面用一个难以打开的金属薄条封住了瓶口，使得人们无法打开那层薄膜而闻到这种除臭剂的香味。结果，一些本来对吉列产品挺有兴趣的人拿起产品闻了闻，发觉没有香味，琢磨了一下包装后，只好把商品放回原处，摇摇头走开了。那些一定要闻到香味才购买的顾客则偷偷地打开了金属封条。如果在闻过香味后他们拿着商品去了收银台，那倒也没什么问题，遗憾的是他们中的一些人不会购买，拆开过的商品无法还原，商品就这样被破坏了。

二是不要让两种或多种气味非常浓郁的商品做邻居。化妆品与食品，茶叶与鲜花共处一区的结果可能是，既闻不到香水味，也闻到不到茶叶香，食品不再令人馋涎欲滴，鲜花也芬芳不起来了，甚至可能致使空气中弥漫一种令人一秒钟也不想多呆的混合怪味。

某高尚小区旁边的商业街上，开了一家鲜花店，虽然鲜花的价格比较贵，但生意一直很兴旺，因为小区里住的都是些有钱人。可是，不知什么时候开始，鲜花的销量下滑了，有时甚至门可罗雀。店主百思不得其解，心想店员们的服务并没有丝毫懈怠，附近也没有出现新的竞争对手呀。一天，他外出办事归来，走到自家店门口，突然嗅到一股浓烈的并非鲜花的非常难闻的气味。他突然明白是什么赶走了他的顾客，原来，隔壁新开了一家狗店！狗们身上的臭味和试图掩盖那臭味的除臭剂的味道，使自家店里的花香消失殆尽。他气恼了半天，无计可施，只好决定重选店址。

⊙ 让购物者试用商品

未经试用，顾客对于商品是很难产生信任感的，而他们只有在信任某种商品的情况下，才会痛快地打开口袋。比如化妆品，有些商家做得比较好，专门准备了各个品种的试用品供顾客尝试，别小看这个举动，它不知能给你带来多少销量。

电器类商品同化妆品一样，也需要在试用之后，才能让顾客产生信任感，因为它们大都构造复杂，功能多多，操作时带有一定的技术性，未经试用就购买，顾客会承担一定的风险，买回家去万一看不懂说明书也很麻烦，顾客只有在听过讲解，看过示范，亲自使用过，对商品的功能和操作步骤了然于心并大感放心的时候，才下得了购买的决心。

人们购买冰箱时总是要使用一下，这倒不一定是因为怀疑其制冷功能，一般情况下，还没有听说哪个公司生产的冰箱不制冷的。不过，万一冰箱运行时发出飞机起飞或工地上搅拌机运转似的声音，那怎么消受得起！许多顾客因此成了冰箱挑剔者，他们需要店员将冰箱插上电源，仔细聆听，看它是不是只发出有如睡梦中的人轻轻打鼾的声音。

在购买医疗器械、保健设施等商品时，顾客也大多有试用的需要，因为它们的功效有待检验，使用方法未必简单。更重要的是，很多时候，顾客需要尝到“甜头”才会动心。

某商场的柜台里陈列有一款名叫“经络通”的老年保健仪器，价格不菲，老年顾客前来了解的很多，但购买的人很少。商场管理者后来改变了陈列方式，将这些保健仪从柜台里取出，陈列在商场里较清静的一个角落，设专人专椅，为顾客提供免费使用、治疗的服务。老年顾客们纷纷前来试用。一些顾客在试过一次之后便决定购买，因为他们感到自己像年轻人一样充满活力。在此之前，他们曾多次看过商品却从未动心。

在陈列和销售食品时，如果能让顾客免费品尝，一定能在很大程度上提高销量。

一家方便面推销商在商场里设置了一个电饭煲，将方便面煮熟供顾客免费品尝。在下班后购物的高峰期内，方便面的香味成功地吸引了不少饥肠辘辘的顾客，他们甚至觉得在货架旁边不期而遇的方便面比什么都好吃。细心的促销员发现，那些品尝过她亲手煮的方便面的顾客，很少有空手而去的。

服装、床上用品等商品，也是如此。

一家床上用品公司的做法可谓十分周到。管理者发现，当顾客抚摸某些床单、被罩的时候，总是被那些用来使床罩、床单挺直的浆子搞得很心烦，因为这种东西让他们失去了判断能力。所以，商店选择了一些样品，用水洗过后，陈列在一旁，让它们呈现出清洗后的模样。如此一来，顾客就知道“喔，买完之后、洗过之后是这样的了”，有种亲自使用过的感觉，不再担心了。

从上面的案例中，我们可以清楚地看出，顾客的感官体验，对于购买行为有着直接的影响。商场在陈列商品时，一定要充分考虑到顾客的感官需要，要方便顾客与商品之间的零距离接触。如果商品有香味的话，就让顾客伸长鼻子去闻吧！如果商品能吃，就让顾客张开嘴尝尝味道吧！如果商品的手感对顾客来说很重要，就让顾客去摸吧！如果顾客期望感受到音乐与动感，就尽量变化陈列方式，让他们去“聆听”吧！如果商品是电器、化妆品等，就让顾客去操作或试用吧，总之，要让顾客尽可能有机会体验商品。只有这样，顾客才能建立感觉信任——为什么说是感觉信任？因为顾客的这种信任感未必是正确的，但是他们自认为是正确的——顾客建立了感觉信任，才有可能购买商品。

5. 连环套陈列

人是经验性动物，当他们看到某种事物时，会根据自己的经验、知识进行联想，比如，看到皮鞋想到鞋油，看到牙刷想到牙膏，看到礼物想到包装纸。

同时，他们的联想还具有一定的顺序性，有如连环套一般：从皮鞋到令皮鞋发出光泽的鞋油，从牙刷到牙刷上应该涂上的牙膏，从礼物再到包装纸等，从此到彼，而不是相反。

这样的习惯，决定了商品陈列中的诸多特点，比如讲究相关性、要传递出故事性、要有连环感等。下面就结合一些具体的案例来谈谈这个问题。

⊙ 相关陈列：啤酒与尿不湿

相关陈列又称关联性陈列，指将互相关联的两种或多种商品放在一起或相邻放置，使顾客在购买商品甲的同时顺便购买商品乙或丙，从而实现附加销售，使几种相关产品的销售量比单独陈列时更高。

哪些商品之间有相关性，需要陈列在一起呢？

你只要站在要买的东西附近问问自己：我在这里还想要点什么？就能推测

图3-15

出应该在毗邻的地方放什么。

运动鞋旁边，不是需要一双很匹配的运动袜吗？枕头应该放在哪儿？当然是床上，让顾客在购买床单时很方便地选到合适的枕头。摩托车旁可以放置什么？头盔。鞋柜旁要陈列相应的鞋油。浴衣旁边陈列洗浴用具。录音机旁，顺便出售磁带。DVD碟机旁陈列一些影视光碟。如此等等。

总之，只要是相关性很强的，在使用时需要同时出现的物品，商家就可以进行大胆陈列。这样做等于变相给顾客一个购买更多商品的理由，使他们不再因为害怕寻找商品太麻烦而放弃购物。事实上，顾客真的很喜欢将整套物品带回家。

一家商场在卖毛巾的货架前端，将高露洁牙膏进行了堆头陈列，结果发现，很多前来买毛巾的顾客都“顺手牵羊”，购买了高露洁牙膏。

不过，有时候，看起来相关的两类商品并不适合呆在一起，而看起来似乎井水不犯河水的两种商品的相邻陈列，却能带来意外的收获，这需要我们对商品间的关系进行创造性理解，对顾客的思维习惯有深刻的洞察。请看下面两个经典案例：

啤酒和尿不湿

某超市将啤酒陈列在尿不湿旁边出售。在业内人士看来，这无论如何都是不合理的陈列，因为啤酒是男人们的爱物，而尿不湿是新妈妈们需要的——照顾孩子的任务多半是由她们承担。

可是，这两样商品自从陈列在一起后销量一直都很好。

原来，需要尿不湿的孩子多半还处于婴儿期，而婴儿的妈妈们多半会整日留在家里照看小宝宝，没有时间逛超市，这使得她们只好把去超市买尿不湿的“重任”交给丈夫们。这些刚升级做爸爸的男人走进商场后当然会直奔尿不湿，但他们会在那附近看到心爱的啤酒。于是，毫无疑问，为了缓解当爸爸带来的压力，或仅仅为了犒劳自己，他们会将几罐啤酒扔进购物篮中。

纸杯与卷纸

由于纸杯的供应商往往同时代理卷纸、盒纸等商品，大部分的零售企业为了便于管理，就将所有这些商品归入“纸制品”的品类里，并陈列在一起。这使得需要购买纸杯的顾客大伤脑筋：他们在陈列着陶瓷杯、玻璃杯的地方，睁大眼睛拼命寻找纸杯而不得，情绪沮丧，只好转投别的商店而去。

原来，在消费者心中，纸杯和玻璃杯、陶瓷杯一样，都属于容器类，应该陈列在一起。

在上面两则故事中，前一种陈列方式看起来不合理但非常成功，后一种陈列方式看起来很合理但非常失败，可见在陈列商品时，我们应该投入更多的心思，对具体问题进行具体分析。

相关陈列有时会给商家带来意想不到的收获：

春节过后，一家超级市场发现鸡腿、鸡翅之类的冷冻食品特别不好销，于是发起了一个名为“回家自做肯德鸡”的活动，把炸鸡调料与鸡腿、鸡翅陈列在一起，并印刷了有关肯德鸡制作方法的宣传页四处散发，结果使得该类商品大销，并带动了相关商品的销售。

日本东京经营研究所所长水口健次提到一个例子：日本某商场将一种名为秋比的调料放在菠菜旁边出售后，原本一星期只能销售 658 把的蔬菜，增加至 1650 把，业绩成长 161%；该调味料原本一星期只销售 19 瓶，现在增加到 300 瓶。

关于相关陈列，最后还有个小小提示：相关的商品应陈列在通道的两侧，或陈列在同一通道、同一方向、同一侧的不同组货架上，而不要陈列在同一组双面货架的两侧，因为顾客常常是依货架的陈列方向行走并挑选商品，很少再回头选购商品。如图 3-16 所示：

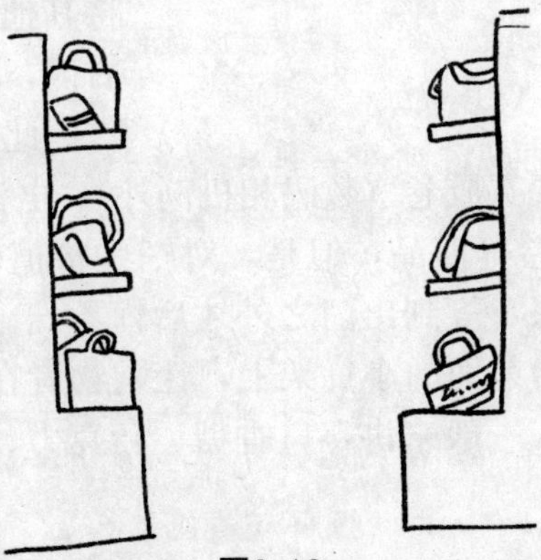

图3-16

⊙ 连环套逻辑

将相关的商品进行陈列时，并不是把相关商品放在近旁就可以了，有时需要注意一定的次序，使商品之间以一种合理的，符合顾客购物习惯尤其是行走习惯的逻辑次序出现。

请看下面的案例：

某百货商店在圣诞节前夕，将一些包装礼物的包装纸，放在了离入口不远的地方，在更靠里的地方陈列着圣诞礼物。虽然包装纸和圣诞礼物相距并不远，但挑选包装纸的人始终不多。管理层分析原因后发现，顾客在没挑好礼物之前绝不会购买包装纸，因为他们无法决定选择买哪种纸比较好。而当他们在选购礼物的路上越走越远时，他们也就离包装纸越来越远，他们中只有很少人会回头再买包装纸，大多数顾客不愿走“回头路”。

图 3-17

后来，商场管理者把包装纸柜台移到所有礼物的后边，让顾客们在挑完所有礼物才看到包装纸，包装纸的销量马上就上去了。

由于人们喜欢向右转、按逆时针方向行走，并且喜欢用右手取商品，因此当商场想要利用连环套逻辑，借某些品牌商品带动其他商品时，就应该将其他商品陈列在品牌商品的右侧，使顾客容易看到和拿到。

此外，按照连环套逻辑，人们买了照相机，才需要买胶卷（数码相机例外）、电池等小件商品，因此应先陈列照相机，再陈列胶卷等商品，但是，对一些价值较低、体积较小的物品，消费者往往容易忘记购买，等到出门之外才后悔不迭。基于此，商场可将这样一些小商品陈列在收银台前面的小货架上，让购物者在等待收银的时间里及时发现，并很方便地购买。一般来讲，口香糖、巧克力、电池、胶卷、针线盒等都属于这类商品。

⊙ 传递出故事性

相对于普通照片，人们似乎更喜欢绘画；相对于生活本身，人们似乎更享受电影。也许，早在婴儿时期，人们就已经爱上了“传说与故事”，不喜欢没有情节的、孤立的事物。

一位年轻妈妈给她10个月大的婴儿买了两本书，一本是认知类读物，里面有大量的蔬菜、水果、动物、日用品的精美照片，一本是绘图本的童话故事。她本以为，孩子太小，看不懂也听不懂故事，可能会喜欢前一本书。回到家后她发现自己错了：小婴儿对那些跟实物一样逼真的图片并没有什么兴趣，胡乱翻过之后就“打入冷宫”，但那本故事书却强烈地吸引了她，她总是主动去翻看它，不时笑起来。年轻的妈妈不确认孩子能听懂自己的故事，因为她除了会叫妈妈外还什么都不会说，但是，孩子喜欢故事性，喜欢故事配图中那些夸张的表情，这是确定无疑的。

现在你可能明白了，为什么聪明的商家在陈列商品时要给商品加上背景、道具，使之看起来像某个电影中的场景，因为，这样的陈列不但具有美术作品的美感，而且能描述某种生活情节，引发购物者的回忆和联想，让购物者在商品面前驻足、流连、欣赏，乃至心动，产生购买回家的愿望。

这种能传递出故事性的商品陈列，在商品的任何区域都可以应用，不过，一般在橱窗中运用较多，请看下面的例子：

图3-18

一家时装店为了更好地销售秋装，将橱窗进行了这样的设计：给橱窗里的模特穿上店里的秋装，在模特的手上挂上一个篮子，里面盛满松果。在橱窗四周，粘贴上一些黄叶和枯枝。整个橱窗营造出浓烈的秋天的氛围，无声地描述了一个常见的生活情节：秋天到了，大自然散发着浓烈的秋的气息，姑娘们穿上漂亮的秋装，到郊外去采摘松果。

在季节转换、传统节日或纪念日来临之际，这种陈列的应用会有很大的空间，因为在这些节日里，人们通常是不吝惜“银子”的，他们会将压抑已久的消费欲望尽情地释放出来，冲动消费是此时的消费主流，商场如果能巧妙地抓住商机，在商品陈列上尽可能创造出美感，传递出艺术性，就有可能赚得盆满钵满。

情人节前几天，一家商场在商品陈列区摆出了一张造型非常别致的桌子，铺上精致的桌布，然后将一束玫瑰花、一只啤酒放在桌上的一个竹篮里，再在桌上放一支红烛、两只高脚杯，之外，是一盒包装精美的巧克力。许多年轻男女路过此处时都不由自主地放慢脚步，女人们的眼里流露出渴望，男人们也似乎被这商品陈列所描述的浪漫一刻所打动，若有所思。情人节之后，商场发现，价格不菲的巧克力几乎一扫而空，而陈列于周边的葡萄酒、红蜡烛、女用首饰等商品的销售也很不俗。

法则 4

让所有走进商场的人都行动起来

RANG SUOYOU ZOUJIN SHANGCHANG DE REN DOU XINGDONG QILAI

- 男人的购物领域
- 女人怎样购物
- 假如皱纹还没那么深，你就还年轻
- 青少年的消费观

如果我问你：到商场的顾客都是些什么人？你可能会回答我：有的人有明确的购物目的，有的人想购物但没有明确的目标，还有的人是来随便逛逛的，或者你还会告诉我其他的答案。你说的都没错，很多讲授销售技巧的书籍中也是这样告诉我们的。但这里我们要从另一个角度来看这个问题。

从最简单的角度来想，商场中进进出出的无非就是男人、女人，老人、青少年。我们不想再去重复你已经在若干本关于销售的书中看到的：销售的第一步应该观察顾客，第二步应该探询顾客的需求……对于这些步骤也许你已经再熟悉不过了。现在让我们回到最简单的状态：你知道男人、女人或老人、青少年在购物中会有哪些不同吗？——他们的购物风格是一样的吗？他们的购物要求是一样的吗？他们的购物心理是一样的吗？你必须承认，他们是有区别的。销售固然是要讲步骤的，但销售的内容并不仅限于此，它还需要考虑不同群体的特点以配合顾客的需要。所以，在掌握销售步骤的同时，让我们回过头来研究一下男人、女人或老人和青少年吧！

1. 男人的购物领域

购物似乎从来都被说成是女人的天性、女人的专利，“男人去购物”——这听起来似乎有点别扭，正因为这样，所以更多的时候大家都忽略了男性的购物需求，可现实中仔细看看，你会发现很多男人都在购物！

你留意过男人是怎样购物的吗？他们的购物方式和女人有什么区别吗？

请看下面给出的几条内容：

- 独行侠
- 不喜欢闲逛
- 下决定很快
- 仔细研究商品说明书
- 不需要过多劝说
- 买与不买的理由很简单，心理变化不会很大

如果你是一位男性，那么请想想自己购物时是不是会出现以上的特点。

如果你是一位女性，那么请回忆自己身边的男性或观察一下他们在购物时的表现，看看是否具有以上的特点。

“男女有别”不仅能体现在外貌、生理结构和思维方式上，连购物这种行为也不例外。下面我们就来研究分析一下，男人会购些什么物，以及他们在购物时会是怎样的表现。

⊙ 情人节的礼物

什么物品是男人必然会购买的？对了——礼物！

结婚纪念日、相识纪念日、生日、情人节、圣诞节，这些是女人们最喜欢的日子，尤其对于现代社会的女性来说，庆祝这些日子已经是她们一年计划中最重要的一部分，所以，无论如何，作为丈夫、男朋友的男人们都不能忘记这些日子，否则后果可能“不堪设想”。

图4-1

事实也如此，越来越多的男人们逐渐接受了这些，他们开始自动地在这些日子到来

之前就开始准备礼物。仔细观察一家珠宝店你会发现，那些购买贵重珠宝的通常是男人，但是这些珠宝并不适合男士佩戴，显然这些都是为了送给女人而购买的。除此以外，鲜花店、精品店和服装店也是男人们挑选礼物经常去的地方。无论是购买珠宝、购买鲜花还是购买精品，对男人来说都没有什么大碍，这里要特别指出的是：当一个男人来到女士内衣区想为女人买内衣时，营业员该怎么做呢？也许有的营业员在捂着嘴偷偷笑，有的营业员在用一副冷漠的表情告诉他："嘿，男人，这里不属于你！"大部分男人看到这样的情形都会狼狈地落荒而逃，极少数能坚持到底的，要么就是具备大无畏的牺牲精神（没准儿在他强作镇定的外表下，心里已经冷汗直冒了），要么就是运气不错碰到了一个善解人意的营业员。

其实聪明的营业员应该能意识到，大生意上门了！因为男人是不会为女人买些便宜货的，尤其是在重要的日子里。最明智的做法莫过于亲切地鼓励男性顾客说出他的需求，比如自己妻子喜欢的颜色、样式、平时的购买倾向；然后根据顾客的描述给出合理的建议。在这个过程中，应该始终保持大方、自然的态度，消除男人们的尴尬。商店也应该对营业员进行专门的培训，教他们如何向这些在女性商品前不知所措的男人推销商品，争取把这些人笼络为商店的老客户。

⊙ 买拖布的男人

做家务都是女人的事吗？不，有些"新好男人"也会接手一些家务活。现代女性普遍都和男性一样外出工作，在一个家庭中，也许女人和男人一样忙，甚至有的家庭中女人比男人还要忙，这就导致了家务分担比例发生了变化，由以前男人几乎不承担什么家务，无非是一些扛煤气瓶之类的体力活，到现在男人要承担一定比例的家务，这种变化和社会的发展息息相关。

图4-2

然而，男人不管是被迫做家务也好，主动做家务也罢，都不能说明他们对家务中应用到的各种物品都非常了解。比如，哪种拖布最好用、更适合家里的地板，哪种刷子更适合家里的锅，当女人不在旁边指点的时候，恐怕大部分男人就有点无所适从了，拿起这个看看，再拿起那个瞧瞧，功能都是一样的，买哪个好呢？

像这样的男人们，营业员就不能袖手旁观，因为他们需要帮助，需要有人告诉他们什么样的物品适合他们。

当然，这样比例的男人可能还是少数，不过只要属于购物领域，就应该帮助他们完成购物，而不能想当然地认为男人是不可能来买这些物品的。事实上，很多商场和营业员正是因为认识不到他们的这些特殊需求，而导致了不知道有多少的营业损失。

什么情况都是有可能发生的，别说男人来买拖布很奇怪，说不定在未来还会出现专门为男士做家务时准备的家务用品专卖店，因为男女的生理特征有区别，比如使用各种家务用品时的力度是不一样的。

⊙ 闯进美容领域的男性用品

不仅女人爱美，其实男人也一样爱美，因此现在专门针对男性的修面和护肤产品也逐渐多了起来，可是似乎销售都不尽如人意。问题出在哪里？看一看这些男性用品的陈列方式，你就会知道为什么男性用品卖得那么可怜。

在商场里，男性美容用品放置的地方绝对女人气十足。像剃须刀、除味剂、防晒霜等，往往都是夹杂在那些散发着香味的女士化妆品中间，这样的陈列，让男人们如何驻足？要他们站在女人堆里，和女人一样在那里试试这个，弄弄那个，男人们是不能接受的。即使有很多女人在给男人买这些东西，但是并不代表所有人都这样做。

为男人提供专用商品，这是一个很好的想法，然而如果没有一个适合他们的购买场所和环境，这种效果就大打折扣了。假如能有一个“男士区域”，把男士专用的洗面奶、防晒霜、剃须用品、洗发水、香水等物品集中起来陈列，并把这个区域设计得充满男子气概，和女性护肤品区域区别开来，相信会吸引更多的男士来购买。如果商场里还卖一些运动用品，如运动服、健身器等，应该让它们挨着陈列，因为男性比女性对这个更感兴趣，这也符合连环套逻辑。

图4-3

除了商场做得不是很好之外，厂家做得也不到位。尽管某些商品是男女都能用的，但是，他们在设计外包装和取名的时候往往倾向于女性化，就好像这些物品也都是女人们的专利。

⊙“房子、汽车，我说了算！”

尽管购物时多数男人充当的角色是：跟在女人身旁拎东西的那个人。但并不是说他们对购物都不爱做决策，一切由女人说了算。他们只是对那些针头线脑、油盐酱醋的小事情不感兴趣而已。当购物的对象改变时，他们的决策权和决策欲就会膨大起来，男女在购物中的角色分配就会发生变化！

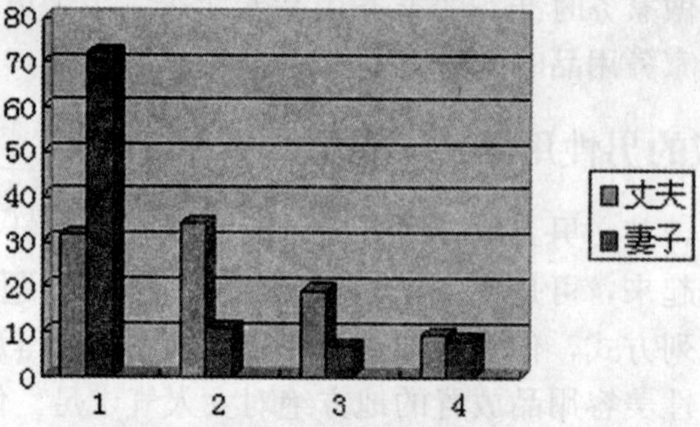

图 4-4

（1 代表“日用消费品”，2 代表“耐用消费品”，3 代表“大件消费品”，4 代表“自己用的小东西”。资料来源：零点调查与零点指标《城市居民购物形态研究报告》，基于 2002 年对北京、上海、广州、成都、武汉、南京、西安、沈阳、大连、郑州等 10 个城市 3 781 名 18～60 周岁成年市民的随机抽样调查。）

男人都关心什么？房子、汽车等大件消费品及其他耐用消费品。在对这些物品的购买中，主要是由丈夫来主导决策。零点调查 2002 年的房地产研究充分表明，无论是购买家庭的第一处还是第二处住宅，都有近七成的家庭主要由丈夫最终决定。同样，2002 年的家用轿车研究也发现，在购买家庭轿车的决策过程中，39%以上的妻子认为“丈夫在买车这件事上影响最大”。

出现这种现象的原因，一方面是男性通常比较关注这些消费品，喜欢掌握对这些物品的决策权，尤其对于车子的熟悉与喜爱，男性表现得更为明显；另一个理由是，也许有些男性对这些方面也并不熟悉，但是当家庭中有这些方面的需要时，女性往往下不了决心，她们更依赖于男性，这就迫使这部分男性做决定。

因此，在大件物品的最终决定权上，营业员们需要多观察男性的表现，很有可能最终拍板的是男主人而不是女主人。

⊙ 单身的男人们

在男性顾客当中，除了担任为人夫、为人父的角色外，还有一部分男性是单身的，他们没有家庭、子女，他们只为自己的生活负责。所以，他们需要自己去采购生活用品。

在对物品颜色的选择上，你会发现，大多数男性都喜欢买深颜色的衣物，当然他也许可以说：这样让他看起来更成熟、更有魅力。的确，深颜色能给人这种感觉。除此之外，对于独身的男人们来说，这样做的另一个理由是这些颜色的物品不怕脏，而且脏了也看不出来。有一种开玩笑的说法，说男人的衬衫可以两个月不用洗，因为穿了一个月之后虽然脏了，但是因为颜色深看不出来，只是味道很难去除，所以就放几天，然后再穿一个月，这样一件衬衫才到了洗的时间。

图4-5

懒惰令单身男人滋生的另一种习惯是买质量好一点、耐用一点的东西。那些看起来很精致但是不好用的东西不会令他们感兴趣。如果有一种一劳永逸的物品，相信大多数男人都会购买。但女人不一定，她们“喜新厌旧”。

单身男人的食谱上写着两道菜，一道是快餐，一道是速食品。他们的床下、冰箱里放得最多的就是速食品。所以，单身男人是超市里速食品的一大消费主力。没营养没关系，方便、省事就行。

⊙ 新时代的爸爸

“爸爸”这个角色听起来是那么的平淡无奇，但是 20 年前的爸爸和现在的爸爸可是不完全一样的，不知道广大商家有没有注意到男人在父亲这个角色上的变化。

20 年前，只有少数的爸爸会给孩子买衣服，今天，爸爸出现在儿童用品区成为了非常普遍的现象。然而，商场的表现并不令人满意，因为他们还没有认识到这个变化，将给儿童买物品的责任依然放在妈妈的身上。当爸爸和妈妈一起给自己的孩子买物品的时候，别拒绝让爸爸发表一下他的看法，很多时候，爸爸的见解是很独特的，但又是很受孩子们欢迎的。

有一对夫妻为自己的两个女儿挑选衣服，妈妈说粉色的好，女儿一定会喜欢的；爸爸说，鹅黄色的好，女儿也一定会喜欢的。没办法，两个人达不成一致，只好说两种颜色各买一套，让孩子自己选，看她们喜欢哪个。回到家中，女儿们都喜欢那套鹅黄色的，爸爸得意地笑了。

而且，通常只有爸爸才会突然冒出一些放纵的想法：为儿子买最酷的遥控飞机，为女儿买迷你舞会礼服。

图4-6

爸爸的责任之一就是负责提供生活用品，这是男人心中对自己的角色定位。因此，面对孩子的恳求，爸爸更容易被说动，而不像妈妈那样考虑很多。如果是爸爸带孩子买东西，孩子的要求通常不会被拒绝，他们的意思很明确，“拿你喜欢的东西吧，我来付钱”。但换成了妈妈，这种可能性就会小很多。

一次，一个小孩看中了一袋彩色爆米花，当他拿到妈妈面前表达希望买下它的意思时，不知道为什么妈妈就是不同意，孩子只好失望地放回去。但是过了一会，一个和爸爸来的小孩子也看到了这袋爆米花，他很快地扔进了爸爸的购物车里，父亲就像什么都没看见一样。

所以，对于和孩子一起来的爸爸们来说，他们是比较好说话的，只要你吸引了他们的孩子们，他们通常就不会发表反对意见了，无论他们是懒得发表看法还是尊重孩子的决定。

而且，对于一些价格昂贵的商品来说，只要爸爸经济条件允许，他都会给孩子们买好一点的东西。如果是爸爸一个人陪孩子买东西的话，你就有机会卖一件更贵的商品了。这一点不同于妈妈们。

此外，爸爸也比较敢给孩子买时尚、大胆一些的衣物。在国外，爸爸常常会送给女儿迷你舞会礼服，让他们的女儿们在校园舞会上做最漂亮的人。这种现象在国内也是有类似例子的。对于孩子们一些关于时尚用品的要求，妈妈通常会考虑再考虑，而爸爸则更容易接受。

男人作为“爸爸”这个角色的消费特点还不止这些，商家们应该对此进行仔细的总结，不应该放过这个庞大的消费群体。

⊙ 喋喋不休＝讨厌

没有哪个男人喜欢被人唠唠叨叨，小时候在家被母亲唠叨，长大成家被妻子唠叨，工作要被女上司、女客户唠叨，难道购物时还要继续忍受营业员的唠叨吗？

Stop！

给他们一个稍微清静的空间，絮絮叨叨的营业员只会让他们厌烦，他们可不希望出了家门还被唠叨声缠着。

图4-7

可是，有的营业员就不明白这一点，在商品介绍中啰啰嗦嗦，明明三两句话就能完成的介绍非要说上一大堆，中间还要把一句话颠来倒去地重复三遍，听得人几乎精神崩溃！还有的人说话抓不住重点，“哇啦哇啦”说了一堆，可都是些显而易见、人人都懂的毛皮之处，顾客真正想知道的要点却一个字不提。这样做的初衷也许是好的：想从基础方面给顾客灌输一些常识，便于他更好地了解产品。但当面对的是一位男性顾客时，这样做他未必会领情！——除了会使他不耐烦外，还会使他觉得你在看低他的智商和能力：这么简单的常识我会不懂吗？要你来这里教我！

同时，我们还会发现，其实大部分男性顾客更喜欢自己一个人躲在一旁仔细研究商品说明书，然后凭借自己的理解和判断对是否买某样东西作出决定，而不会像女性顾客那般，一上来就向营业员问这问那。这也许是由男女性格上的差异导致的。

所以，对于男性顾客，营业员的劝说应该恰倒好处，点到为止。不要以为自己多说一点，让顾客多了解一点，顾客购买的几率就会大一些，对于男性来说，这个不太奏效。简明扼要，重点清晰，这才是最重要的。那种婆婆妈妈一大堆的做法还是用到女性顾客身上吧，因为她们通常都是从与营业员的沟通中获得自己想知道的信息的，这也是女性顾客为什么容易被说服的原因之一。

还有一点必须要提，营业员应该熟悉自己所销售的商品。这听起来是天经地义的事，但是现实往往是相当多的营业员都不能够很好地掌握商品知识，这使得他们在面对顾客的疑问时总是回答得不出色，尤其当碰到的是以理性著称的男性顾客时，这样的表现是不足以令他们信服的。

⊙ 男女购物时间的对比

这是一种公认的现象，男人比女人的购物时间要短，不然你不会看到在商场里大多数都是女性，你可能会看到和女性一样多的男性了。

图 4-8

男人穿过商场的速度往往比女人快，男人很少左顾右盼。多数情况下，很难让男人看那些他们根本没打算买的东西，除了一些游手好闲、无事可做的人之外。如果他们找不到要买的东西，他们不会像只无头的苍蝇那样乱撞，而会迅速走到商场导购员那里询问自己要买的东西在哪里。这符合男人们做事追求效率的性格，有些事情与其慢慢找不如直接问当事人来得快。

经常会看到有的男人急忙来到商场里，找到要买的东西，较少思考地拿起来就买，在整个购物过程中没有任何乐趣。如果男人试了某双鞋，最后没买，唯一的理由就是这双鞋子不合适。这不同于女人，女人会认为试穿只是整个购物过程的一小部分而已，即使穿着合脚，也很可能因为其他原因而放弃购买。通过调查，65%的男性购物者试用了某件商品后都会购买，而女性购物者的购买比例只有 25%。所以，你只管找到适合男人那双脚的鞋子就可以了。一旦合适，他们就会买。

2. 女人怎样购物

在购物世界里，尽管出现了越来越多的男性，但是购物活动的多数参与者仍然并永远是女性。一项调查资料统计显示，在家庭全部消费购买中，由女性购买的占了 55%，而男性的占了 30%，夫妻双方共同决定的占 11%。可见，在家庭中女性是购物的主力军。

对男性来说，他们把购物当作一项任务来完成，他们目标性极强，快速、果断甚至粗心。而对女性来说，购物是与生俱来的本能，是一种极有乐趣的活

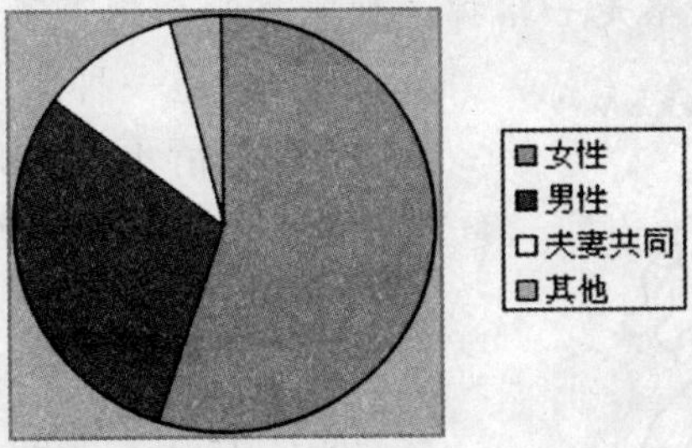

图 4-9

动。她们悠悠闲闲地在商场里逛一逛，出去时手上就能拎着大大小小的袋子，也许这里边绝大部分的东西是她今天根本没计划要买的。

如果零售商不能满足女人的需求，不能跟上女人生活和品位的变化，等待他的就是被女人彻底抛弃的悲惨结局。

⊙ 男女购物态度不同源自远古

英国心理学家认为，男女对购物的态度非常不同，其根源可以追溯到远古时代——男人狩猎、女人采集果子的时代。

根据埃克塞特大学的一份研究报告，绝大部分男性购物时像猎人，他们清楚地知道自己想要的东西，然后很策略地扑向猎物。而女性购物时风格完全不同，她们从容地浏览，耐心地检视陈列的物品，最后才决定买什么。因此，女性购物往往要比男性花更长的时间，女人采购的东西往往比男人买来的东西更物美价廉，这也就不足为奇了。

报告还指出，男人和女人一起购物的时间不应超过 1 小时 12 分钟，否则双方很容易发生争执，因为男人不想再逗留下去，女人则希望再购物 28 分钟。

⊙ 情绪性消费

根据一家调查公司对北京、上海和广州三个城市的 900 名受访者进行调查的结果表明，93％的 18～35 岁的女性都有过“情绪消费”行为，也就是冲动购买行为。她们到商店前根本没有明确的购物目的，但是由于某些原因的影响引发了她们的购物冲动，使她们变成了购物机器。

造成情绪性消费的原因，大致有以下三种。

还记得电影《孤男寡女》吗？当女主人公看到男朋友和另一个女孩子在一起时，伤心欲绝，然后她采取的发泄方式就是：去购物。都不知道买了多少东西，可惜回家的路上一路走一路掉，到家里时只剩下了袋子。

图 4-10

这是一种常见的情绪消费类型。女性在心情不好的时候，通常会漫无目的地逛大街，通过购物来排解心中的郁闷、伤心和压力。

另一种原因刚好与此相反，那就是：因为开心、高兴。高兴时买东西，那是为了锦上添花，所以当你看到女人脸上带着甜蜜或兴奋的笑容时，要不失时机地向她推销，此时的女人最容易被说服。

第三种比较常见的情绪性消费行为就和商场有很大的关系了。他们不停地推出各种各样的促销、降价、优惠等活动刺激着女性顾客的购物欲，使她们陷入疯狂的采购中。下面这个例子是一个常见的生活情景：

May 是一家公司的秘书，每天烦琐的工作让她总是感觉很疲倦。有一天，她和平时一样忙，快下班的时候，一个同事走进来对她说："May，××百货公司今天搞特价，特便宜，听说低到两三折呢！去看看吧，也许能买不少好东西呢！"

May 一听就精神了，想着又可以买到既便宜又好看的衣服，她感到非常高兴，干活也变得有劲儿了。一下班，她就和那个同事直奔商场而去。

可以想象，May 一定会大包小包地买一堆东西回家，可能有些衣服买了以后只穿一两次甚至根本就不会穿，买它仅仅是因为当时觉得"便宜、划算"！

优惠促销是刺激顾客购买的有效方式，尤其对于女性顾客特别有用。现在也几乎没有不搞特价活动的商场，谁放弃了这块阵地，谁就失去了一块大肥肉。

⊙ 挑剔的性格

女人是挑剔的，无论干什么，也许这也是女人为什么适合干一些细致工作的原因，因为她们通常比男人更有耐心、更细心。在购物中，这种特征也很明显。

为了买一样东西，她们会陷入一种复杂的想象过程，这个过程里可能包括很多内容，诸如“这个东西我用起来效果会怎么样”，“它和其他同类型的相比有什么优势”，“我为什么要买它”等等。即使是简单到买一袋水饺，女人也要左挑右选。

在某超市里，一个女人在挑一份袋装的水饺。大致看起来，每袋水饺之间并没有什么不同，仔细看起来，或许会有一些不同。有的可能破碎的多一些，有的可能个头大一些，有的可能数量上多一些。这个女人差不多将所有的袋装水饺都排列起来，然后一袋一袋地看，最后，她选了一袋“最好的”水饺满意地走了。她刚走，一个男人也来买水饺，他大步走过来，随便看了几眼，然后拿起一袋扔进购物车里走了。

这是一个普通的画面，可是却充分显示了女人的细致、挑剔和男人的快速、粗心。

女人们通常很在意哪怕是一笔很小的购物交易，总是习惯于从当中找到最好的那个，并且对自己这种挑选商品的本事感到自豪。

女人购物时有着复杂的心理活动，而男人很少有。男人有时甚至连价格都不看，这对女人来说几乎是不可能的。男人的关注点在于某些耐用消费品，如汽车、工具、计算机等，而女人主要关注和擅长的是对日常消费品的挑选。

⊙ 诱人的购物环境

环境优雅的大商场和人声鼎沸的大市场，不必考虑其他因素，单纯地说，你喜欢哪种购物环境？几乎所有的人都会选择环境幽雅的大商场，这是人的正常需求。而女性在购物时尤其如此。

男士们对买东西的场所只有这样的需求：有他们想要的东西，使他们能够快速完成买卖，他们并不需要逛来逛去地挑东西。但女士们不同，她们更有耐心和好奇心。买东西对她们来说像一场旅行，每到一个地方就像到了一个旅游景点，好的景点会吸引住她，她就留下来多看会儿，不好的景点她随便看看就会走掉。

商场的空间布局对营造好的“旅游景点”效果至关重要。

前面介绍“不推搡法则”时已经说过，没有人希望在购物时被别人又挤又撞。这意味着女人也不会喜欢在人群拥挤的地方闲逛。回忆一下搭公车时的情况，当车上人很多时，女人更容易比男人表现出难受的表情，会尽力给自己调整一个有点独立空间的位置，毕竟相对男性而言，女性更不愿意被陌生的人紧贴着，尤其是被异性紧贴着。观察站在汽车尾部的人群，你会发现绝大多数是女性。这是因为站在汽车尾部的人相对会少一些（男人们很少愿意从前门挤过

图4-11

长长的人群去到尾部），所以自己的独立空间相对较多。女人们就为了能有一个独立一点的空间，所以很多时候都不怕麻烦移动到后边去。

女人对空间的需求在购物中也随处可见。比如，在某些机场的礼品店里，会分为快速购物区和逗留区。快速购物区，顾名思义就是顾客不需要有太多挑选的物品——如报纸、纸巾、口香糖的区域。逗留区里则是一些需要较长时间挑选的商品。通过观察可以发现，女人们往往会穿过快速购物区，走到里面的逗留区去，在那里耐心地看物品。这是女人们喜欢的购物方式，虽然也能看到外边来来往往的人流，但是自己似乎就是被隔离开来了。

⊙ 当男人开始不耐烦的时候

女人逛街通常喜欢有个人陪伴，于是叫上丈夫陪自己逛街就成了顺理成章的事。问题是，短时间的购物丈夫们还可以接受，时间一长，他们可就失去耐性了，因为逛商店对他们而言是毫无乐趣的一件事。他们开始变得像热锅上的蚂蚁，随时想出去。这也是为什么我们看到有些男人宁愿待在汽车里听音乐，或是站在商店外看美女也不愿意陪在妻子身边的原因。

当男人开始抱怨、开始不配合、开始变成购物的累赘时，女士们往往也被其搞得心烦意乱、头昏脑涨，哪里还有购物的好心情呢？

图4-12

因此，商家应该意识到这些男性“危险分子”的存在，要想办法安置他们，不要放手让他们搞破坏。最好在店里设一个休息区（面积不一定很大，哪怕就放几张椅子），放几本适合男性阅读的杂志，或者放一台小型电视，准备一些饮用水。当那些男人开始不耐烦的时候，让营业员把他们带到休息区去，给他们送上一杯水，递上几本杂志，或者让他们看电视。再或者，他们也可以坐在那里只是看女人试衣服，因为这也算是一种视觉享受。无论如何这都比让他们傻傻地站在女人身后陪女人看衣服有趣得多！

说不定，当女人下次再要求男人陪自己逛街时，男人们还会建议他们的妻子到这样的店来，因为这里让他们觉得舒服一些，还不算无聊透顶。

如果店里有男士用品，也可以把男士们带到那些地方去，或者告诉他们哪里有适合他们的东西。尽管男士们不喜欢闲逛，但是面对符合自己性别的物品总比面对那些和自己性别相反的物品好得多。如果还能促成这部分的销售额，那就更好了。

还有一个办法就是发动男人。女人买东西并不全是为了自己，“女为悦己者容”，其根本目的还是给别人看，特别是自己最亲密的人。在家中，男性很乐意担当女性物品鉴赏者的角色，但是在公众场合，男性就不喜欢这种角色了，这让他们觉得有损面子。但是女人们可不这么想，她们还是希望男性们能给些建议。因此，营业员如果能将男士们“发动”起来，让他们像在家中一样为女士出谋划策，其结果将是皆大欢喜。如何发动这些男性顾客？方法是当女人试用某件商品的时候也问问男士们对此的感觉，让他们提出一些看法，对于这些看法，营业员要给予肯定，即使说的不对也没关系，因为这并不会对销售产生多大影响，重要的是这种参与方式会让男性顾客的陪同也变得有趣起来。

总之，如果处理不好那些不耐烦的男士，最终只能加速女人的离开。所以，请注意观察那些已经烦躁的男人。

⊙ 从家庭妇女到职业女性

随着社会和时代的发展，女性在购物领域的行为特点发生了一些变化，主要原因是职业女性的人数日益增多。以上海为例，据报道：

近年，上海经济和社会发展突飞猛进，为女性提供了无限美好的发展空间。有关研究人员提出，六百五十万女性已是上海发展的一支重要力量。其骨干就是各阶层的女性人才，如八位中国科学院和中国工程院院士、享受国务院特殊津贴的五十多位杰出女性、三十多位女性专业技术人员等。在经济领域，无论国有企业、“三资”企业的经营者中都有女性活跃的身影。上海登记注册的私营业主中，女性投资者占有百分之二十二点一。上海已形成以女民营企业家、女经理、女业主为代表的社会新群体。尤其是在上海加速发展的第三产业各行业中，女性就业的比例比男性上升得更快。已被列为新一轮支柱产业之一的金融业中，女性员工占员工总数的百分之五十三点八。在上海现有的近五千位资格律师中，女性则占五分之一。

上海职业女性的发展现状在一定程度上反映了我国职业女性的发展规模，越来越多的女性和男性一样外出工作，承受竞争与压力。因此，在这些职业女性的天地中，购物尽管仍然也很重要，但与家庭妇女相比却发生了很大的变化。

职业女性的整体购物时间变少，她们的购物风格开始和男性相似。尽管她们在购物时并没有表现得和男性一样地快捷，但是与家庭妇女相比，职业女性开始变得只注重商品的几个重要特征，而非全部。当家庭妇女还在认真地履行着一次完整的购物过程——对商品的了解一丝不苟，慎重地做出决定时，职业女性却必须挤出工作、上下班、家庭生活和睡觉之外的时间去购物，她们没有多余的时间花在购物上，因此她们变得匆忙，拿起东西就走，不再仔细地浏览、不紧不慢地挑选、一个一个地检查。

便利性也变得重要起来。由于职业女性把相当大的一部分时间投入到了工作之中，这使得她们需要尽量减少在生活中的精力消耗。比如，同样是购买方便面，家庭妇女通常会选择普通袋装的，然后回家去做，这个过程就包括了从烧水到做面再到刷碗筷等一系列劳动。职业女性就更愿意选择碗面或桶面，回到家中只需要向其中添满热水就可以了，吃完随手扔进垃圾箱，整个过程就结束了。这样可以让自己减少家庭琐事的拖累，将更多的时间投入到工作和放松身心的活动中去。

这就要求营业员要学会识别家庭妇女和职业女性。对于家庭妇女，经济、实惠的东西是她们的首选；对于职业女性，方便快捷、保证质量是她们的要求。而且面对家庭妇女要有更多的耐心，因为她们有足够的时间去考虑和挑选。对于职业女性来说，有重点的推荐和介绍可能更能投其所好。

⊙ 当女人需要油漆时

油漆？——这好像是男人才会买的东西！

你这样想吗？如果你这样想，那你就过于保守了。

油漆、螺丝、水龙头、地板砖、石膏条、照明灯……传统上习惯把它们定义为“男性用品”，如果在现在的社会里你仍然认为它们是“男性用品”的话，你就是在画地为牢、自我设限。如今，女性的身影出现在各个领域中，我们有女总统、女CEO、女警察、女企业家……为什么就不能有自己动手粉刷墙面的“女手工业者”呢？而且，单身的女人越来越多，她们有钱也有房，自己动手修饰房屋也是她们愿意做的事，问题的关键和所面临的挑战是，怎样使这些男性化的物品能够吸引女性消费者？

女性们能去哪里买这些东西呢？她们只能去五金店或专营这类物品的商店中去买。大多数这类商店是什么样的呢？——空气中弥漫着橡胶、黏合剂、油漆、涂料的气味，可能还有其他的一些怪味；一个个紧密排列的盒子里放着各种型号的螺丝、铁钉、垫圈、螺帽、铰链、金属片、水龙头……黑黑的墙上满满地挂着各种线圈、带子、绳子、铁链……墙角一溜儿满是污垢的塑料桶，里面是各种涂料、油漆。老天！这样的地方只能把女人给赶走，它太男性化，完全不属于女人的世界。

图4-13

我们能不能做一些经营理念上的转变？——销售的不是油漆、螺丝、水龙头，而是生活方式！也就是说，不要把这些东西零散单独地陈列，而是把相关的物品组合起来，形成一个生活场景。比如，地板砖可以和照明设备、厨房橱柜、浴缸、浴帘或其他相关的东西组合在一起，展示出实际的最佳效果。这样，我们卖的就不仅仅是五金用品，还是家居用品。这些硬邦邦、冷冰冰的五金商品也就从“安装工具”变成了居家装饰品，从充满了“男性化”的味道到男女皆宜。人们也会从过去只有东西坏了才去五金店，变成时不时去那里逛逛，看看有没有什么新东西。

另外，店里还可以播放一些关于家居装饰的录像短片，或摆放一些关于家居装饰的刊物，让来店里的顾客既开了眼界增长了知识，又刺激了美化家居的欲望。而这类方法用在女性身上最有用，因为没有几个女性不喜欢布置、装饰房屋的，男人们却大多更愿意把时间花在看足球、打游戏上。

可以这样说，因为有了女性的介入，如油漆这样的物品可以从五金用品变成时尚用品。原因很简单，基本上男性只会在墙皮脱落后才会想到需要购买油漆来刷墙，可是女性刷墙还有可能是希望家里有点变化，希望看起来更漂亮。

⊙ 女人与电脑

如今，像电脑、手机、汽车这类高技术含量的产品，男女都一样在用，这是不是说在这个领域里男女没有区别呢？

区别绝对是存在的。

男人喜欢的是技术本身，他们喜欢讨论操作系统的稳定性和程序中有没有bug，喜欢讨论蓝牙技术的优劣和数据传输的速度，喜欢关注汽化器和发动机。而女人对待科技的态度却自有一套，她们不关心各种行业术语和科技名词，她们会大刀阔斧地把这些“神秘的外套”给剥掉，她们只关心这些技术的实用性——它能为我干什么？我能得到什么好处？我怎样用它？技术本身是不能带给她们兴奋和满足的，她们要的是实际的使用感受和使用效果。

所以对于男性顾客而言，一个产品只要拥有好的技术就能很容易被他接受，但是对于女性顾客，商家就得考虑一下怎样才能把技术推销给女士们。与其依赖冰冷的技术名词，不如告诉她们产品的实用性、多功能和便利性，让她们看见实物以及有直接的使用感受——不要对我说这种技术那种技术，到底好不好让我实际感受一下就知道！此外最好能提供完善的技术支持服务，比如当程序运行出现故障时，只需要打个电话就能得到简单直白的解决方法。

假如有一家电脑商店，卖一些计算机的软硬件，当店里来了男顾客和女顾客时，你认为谁的购买可能性更大呢？

女顾客的购买可能性更大！

你可能会惊奇于这个答案，但这是通过调查以后得出的。其实原因还是上面说的：男性更关注于技术，他们来店里只是想看看新的程序软件或扫描仪；然而多数女性来店里都是因为她们确实想买某种东西，而不是为了满足一下自己对技术的追逐欲。

3. 假如皱纹还没那么深，你就还年轻

照照镜子，看看自己的眼周、额头、嘴角边有没有皱纹？如果没有，恭喜，你还年轻，还可以有大把的时间和大好的身体供你使用；如果有了，而且不少，也别丧气，这是一切生物的生命规律，关键是——如果有一天你五十多岁了、甚至六七十岁了，那时的你去商场购物和现在会有什么不同吗？

想想想想……好像并没什么不同？就算是存在这种区别——老人和年轻人当然是有区别的，那又怎样呢？

如果你开始关注这个问题了，那我们就来好好谈谈关于“衰老”。

⊙ 人体的皮肤在 30 岁开始老化

有什么问题是人类无法避免的呢？——衰老！不管你服用多少保健品、使用多少护肤品，多么努力地与年龄做对抗，衰老还是会找上你。最先表现出来的就是面部的老化，皮肤失去光泽，逐渐变得松弛，出现微细的、数目由少变多的褶皱。这个中转的时间是 30 岁左右，但不明显。40 岁左右皱纹明显，50

岁则面颊部分出现鼻唇沟加深或面颊凹陷，年龄再增长至 60～70 岁以后，则老化现象更为显著，皱纹更多、更深，面部皮肤与颈部皮肤也松垂得厉害。这是不以人们意志为转移的生理变化规律。

人老了除了长皱纹还会怎样？漂亮的衣服穿不了了——因为肥胖或者瘦弱，大多数老年人都会发胖或者变得奇瘦无比；需要借助一些药品维护自己的健康——哮喘、关节炎使他们脱离健康；走路变慢——有时候还需要借助拐杖才能稳当行走；逐渐失去工作的能力——老人一般不会再继续工作……这样一群人常常被我们的商场排除在关注范围外，我们更习惯把注意力放在那些青壮年身上，却没意识到自己失去了另一片天地。

根据最新公布的我国 2001 年至 2005 年间《老龄事业发展纲要》的数据显示：目前，中国老年人口占总人口 10.2％以上，60 岁以上的老人超过 1.3 亿，是世界上老年人口最多的国家，占了世界老年人口的 1/5和亚洲老年人口的 1/2。而且，年龄结构逐步进入老龄化阶段。

图 4-14

这预示着什么？对于购物领域来说，老年人已经成为一支力量强大的购买大军！对于他们的晚年生活来说，购物也是其中很重要的一部分内容。

但是，当今的市场为老年人做的事情太少了，以至于让他们在买东西的时候常常感到不方便。

⊙ 摆在货架底端的物品将老年顾客拒之千里

随着年龄的增长，老年人的身体不可避免地在朝着不好的方向发展。原本年轻时很容易做到的下蹲、曲腿等动作，现在却变成了一件极其困难甚至痛苦的事情。

在一个药品广告中，描述的是一个中年妇女迎接放学归来的小女儿，也就十一二岁的模样，做母亲的本想抱起女儿，但是她的脊柱却让她觉得弯腰很痛苦，她的表情也传达了这一点。她的脊柱在电视中表现得像一长截干枯的木头，似乎一碰就会断了、裂了。

图4-15

老年人的身体特点就是这样，各个关节都显得不够灵活，各个关节也都显得有些脆弱，如果你的商品陈列需要他们弯腰或者有更大幅度的身体动作时，你就要考虑，这种陈列是不是应该改一改？别让他们叹口气，最终放弃选购。

今天的老年人也许能够忍受这种做法，不会去向商店抱怨，就像他们一生中经历到其他事情一样，但是以后的老年人呢？他们可不是在容忍中长大的，他们大多数可能是在良好的成长环境中，甚至是很民主的环境中长大的，到那个时候，他们可不会那么容易妥协。

⊙ 阅读吃力的小字号

除了陈列会让老年人感到不舒服外，还有其他的一些因素也会让他们感到吃力，比如说字体。

随便从你家里的物品中拿出几样，然后对比一下上面的字，看看有什么共同点吗？也许你意识到了，也许你还没有，让我提示你一下：看看文字怎样，大多数的有关商品说明的字号都很小！随便到哪家商店逛逛，这样的商品比比皆是，不管是洗涤剂、染发剂、照相机还是各种处方药、非处方药，上面的文字对于老年人的眼睛来说，阅读起来有多困难！他们通常是看不清楚的。我们的爷爷、奶奶大都不会随身携带老花镜出门，要阅读这么小的字那就实在太费力了。还记得这样的情景吗？——爷爷对我们说："乖孙子，给爷爷读读上面都写的是什么？"于是我们就在光亮的地方一字一句地念出来。

图4-16

而且，这里有一个隐藏的冲突。越是受教育程度高的人（当然一般来看他们也越富裕），越会关心和依赖商品的说明文字，他们要仔细阅读、仔细判断，如果字号太小让他们看不清楚，他们会怎样？他们很难放心地下决心购买它。

可能你会觉得，这是生产商造成的，自己无能为力。当然，提到这点我们也想对生产商们说一句：如果你们还打算把某些商品卖给老年人的话，以后就请把包装上的字或者宣传单上的字印得大一点，相信你们总会有办法的，因为这影响到了你们商品的销售！至于商场，难道真的就一点办法也没有了吗？就只能听之任之了吗？

佛罗里达的 Eckerd 药店，货架上都用链子系着一个放大镜。这是一个聪明的权宜之计，但是这还不够。杂货店的报告说，总体上大约有 1/5 的购物者会寻求店员的帮助，而对于老年顾客来说，将是这个数字的 2 倍。

不管怎么说，上面这家药店已经意识到了这个问题，并做出了相应的反应，那么你呢？

除了准备放大镜以外，你还可以尝试其他的创意，比如印刷大字号的商品宣传单或海报。

一位快餐店的老板意识到菜谱上的字体对于老年人来说很难看清楚，而且他们餐馆的主要人群就是 50 岁以上的老年人，于是公司立即重新设计了菜谱，配上了食物的大幅照片，尽管每页列出的菜品少了，但是销量却增加了。

⊙ 颜色反差尽量大点

老年人视力的衰退不仅会影响到他们阅读小号的字体，还会影响他们对颜色的辨别。那些反差小的颜色，如蓝色和绿色、金色和黄色，他们大部分人都难以察觉到两者之间的区别。所以，一些经过精心设计的、对于中青年人来说清晰无比的宣传画、海报到了老年人眼里，却成了一张毫无意义的“纸”，因为画中的各种颜色界限模糊，轻而易举地就从老年人的视线中溜走了，不能给他们留下什么印象。

另外，上年纪的人和年轻人相比，他们的视网膜接受到的光线要比年轻人平均少 1/4，这就是说老年人要比年轻人需要更多的光线。因此，在老年人经常光顾的地方或时段里，商场应该让灯光足够地明亮。

⊙ 享受退休金的年龄

今天的老年人是从艰苦岁月中走过来的，大多数人年轻时候都经历过贫穷和苦难的日子。但人们的本性都是向往美好生活的，哪怕是从前未曾享受过，一旦有了条件、机会也会弥补这个遗憾。所以，对于今天的大部分老年人来说，你不要以为走进摄影楼的老人家是走错了门，他们可能是来补拍婚纱照的！

哦？他们有多少经济能力呢？

——这点你不用担心。以我国城市老年人为例：

领取退休金的人数占有相当的比例，1999 年我国离退休人员退休金总额达2 068亿元。2000 年我国离退休人员约为6 000万人，离退休金再加上老年人再就业收入和子女赡养费，可用于购买老年用品和服务的支出达到4 000亿元人民币。到 2010 年，仅退休金一项就将增加到8 383亿元，2020 年为28 145亿元，2030 年为73 219亿元。

有相当一部分老年人退休后又重新找到工作，我国城市 60～65 岁的老年人口中约有 45%的人还在业，他们除有退休金之外，还有另外的收入。

一部分老年人或多或少从子女那里得到一定的赡养费。

一部分老年人拥有一定的储蓄，据中国老龄科学研究中心的一项调查，城市老年人中有 42.8%的人拥有储蓄存款。并且随着我国经济的发展，老年人的收入将呈不断增长之势。

在国外，老年产业已经开展得很红火了，但是国内的状况却不令人满意，好多老年人买不到漂亮、时尚同时又适合自己的衣服。如果给老年人做一项关于对自己穿的衣服是否满意的社会调查，也许大多数老年人都不满意自己的穿着，这主要是针对城市里的老年人而言的。同时，如果向中青年人做一项关于给父母买衣服的调查，相信很多人也会为不能给父母买到中意的衣服而发愁。

保健品行业在这方面可以说是唯一做得还不错的。适合老年人用的保健品铺天盖地地做着宣传，大商场里的相当一部分位置也留给了这些厂家，而且竞争激烈得大有令众多厂家撞破头的危险。

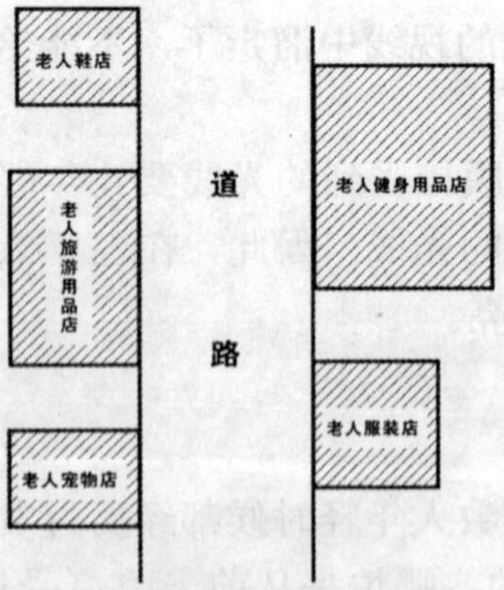

图4-17

一直都很火的保健品“脑白金”，就是因为它完全针对老年市场进行了巡回似的轰炸，以至于人们一想到送老人的礼物就想到它的“今年过节不收礼呀不收礼，收礼还收脑白金，脑一白一金”。它成了送给老人礼物的代名词。

如果你想淘到老年人的这笔潜力巨大的“金”，就别把老年人的需求不当回事。当你想开个老年用品商店的时候，别忘了最好做个周围地区老年人的需求调查，这样，你经营的东西才能合老人家的心意，也不至于像有些商家说的“经营老年用品，那是踩地雷!”

⊙ 老人的休闲晚年

运动用品看起来像是为年轻人量身订做的，但实际上它似乎原本就是为了老年人设计的。为什么这样说？软底的运动鞋、衬衫宽松的开领、裤子上面宽松的弹力腰带等，无不是从老年人的身体特点出发的。近年来，老年人对运动系列的需求也正在呈现增长趋势。在电视中和生活中，随处可见身着运动装的老年人。

老年人去旅游也是一个新的现象。以前的人们为了生活已经奔波得没了力气，但今天的老人不用那么辛苦了。为了让自己的脚能踏上更多的地方，他们开始喜欢上了旅行，一些旅行社也针对这个，经常组织一些老年人的旅行团。很自然，旅行用品就是他们的需求之一了。

不喜欢出外旅行的老人们也不会在家里闲散过日子，他们还会选择去近郊的一些环境较好的地方开展一些活动。他们会选择在一些地势较高的地方开展爬山运动，他们会在有河流的地方开展钓鱼比赛，他们还会在平地上开展太极拳比赛，他们的活动项目往往多得让年轻人吃惊。当你看到你的父母甚至爷爷、奶奶今天拿着扇子出门，明天背着包出门时不必奇怪，他们在享受他们的晚年呢。

图 4-18

好了，让我们来搜集一下适合老年人用的休闲物品，通过搜索，你会发现老年人需要的物品究竟有多少。

表 4-1　老年人所需要的物品列表

1. 运动鞋	8. 休闲食品
2. 旅行袋	9. 保健仪
3. 遮阳帽	10. 矿泉水
4. 运动服	11. 宠物
5. 钓鱼竿	12. 宠物用品
6. 乒乓球	13. 让自己看起来身材还不错的内衣
7. 太极剑	14. ……

⊙ 教奶奶给孙子买玩具

对于爷爷、奶奶们寂寞的晚年来说，小孙子或者小孙女给他们的生活带来了很多的乐趣，为了持续获得这种乐趣，爷爷、奶奶们加入了给孙子们买各种儿童用品的大军。那是不是爷爷、奶奶们的要求都得到了满足呢？事实并非如此。

你也许奇怪，那么多的儿童用品——服装、图书、玩具、游戏光盘……难道还不能满足他们的需求？他们想要什么呢？

图4-19

问题不在于品种多不多，也不在于有没有他们想要的东西，而是他们不知道什么才是适合自己的小孙子、小孙女的！

买衣服。现在的尺码系统很混乱，标准也不统一，以至让你无从判断。如果奶奶给小孙子买的小背心要让他再等两年才能穿上，孙子不高兴了，奶奶也要发怒了。

买图书、买玩具。三岁的孩子应该看什么书、玩什么玩具？七八岁的孩子应该看什么书、玩什么玩具？再大一点的孩子又应该怎样？谁来告诉我们的爷爷、奶奶？现在的儿童玩具花样多多，有时连孩子的父母亲都弄不明白，更别说上了年纪的爷爷、奶奶了。

买游戏影碟。奶奶们知道什么游戏是现在流行并且适合小孩子的吗？

如果我们能有更详细明了的尺码图，能有不同高度的模特，能有更多专业和善解人意的售货员，能够为爷爷、奶奶们提供体贴的服务，那么爷爷、奶奶们就可以充满信心地为孙子、孙女买任何衣服、图书和玩具了。

⊙ 务实——明星对他们没有多大用处

2001 年 9 月，联想推出了为中老年人量身定制的一体化电脑天乐。天乐拥有全触摸屏操作、全屏手写、任意连接互联网等新特性。它采用触摸操作与屏幕手写，并内置健康、医疗、新闻、生活、娱乐五大功能，旨在攻下中老年人电脑消费市场。

据说，这个研发创意源自杨元庆。当时还是联想电脑公司总经理的他为自己的父母买了一台电脑，可是他发现，父母很难掌握电脑的基本操作。从那时起，杨元庆就下决心要让电脑服务于包括老人在内的更为广泛的人群。

在营销推广上，时任联想总裁的杨元庆母子、形象代言人章子怡母女出席了天乐发售会，央视《夕阳红》主持人沈力也作为老年代表出席现场。在 2002 年，联想还在上海搞了老年人上网体验活动。

应该来说，联想这一出发点是非常好的，不论是从市场细分的角度，还是从社会影响来看，都应该给联想带来惊喜。但市场究竟是无情的，全国各地的反应并没有联想想象中那么好。在 2002 年之后，市场上就几乎失去了天乐的声音。

其实，在代言人选择上面，联想还是下了苦心的。只不过，它们没有考虑到，老年人心目中的娱乐明星，往往是在 20 世纪 60～70 年代活跃在中国文艺舞台上面的那一批人。如果选择唱出著名电影《上甘岭》插曲《我的祖国》的郭兰英作为形象代言人，那又会是一种什么样的感觉？

联想在这个项目上的失败，从市场上来说原因有两点：

一是代言人选择不当。不必去做什么复杂的调查，随便找个老人问问他们都知道哪些明星，他们告诉你的一定时他们那个年代的人物。现在的明星，即便再大的腕儿，也不能对他们形成影响。

图 4-20

二是明星对老年人购物的影响并不像对青少年那么有效。哪些因素是对老年人的购物有很大影响的呢？调查结果中的前三项依次是：购物经验、朋友介绍、电视广告。

几十年的购物经验使得他们形成了一种购物规律，冲动购物和盲目购物可不属于他们，这让他们看起来对新潮的东西反应较为迟钝。他们为着自己的购物经验而自豪，这就使得他们更不容易被改变。

朋友介绍的东西对他们来说可信度也比较高。这是人之常情，不用多解释。

排在第三位的是广告。老人和电视的关系从某种程度上来说比年轻人还密切，因为他们有更多的空闲时间，电视无疑是他们打发时间的好伙伴，所以电视中频频出现的各类广告自然也就轰炸到了老人。不过，电视广告依然无法超越前两种因素在他们心中的地位。

说来说去，这里体现了老年购物者的一个最大特点，就是他们不像年轻人那样喜新厌旧、喜欢尝试新东西，他们更喜欢固定在一个已经用惯了的品牌上，这就让他们极有可能成为某些品牌的忠实顾客。现在的商家总是在说，“要提高顾客忠诚度”，“要让顾客对自己的商品忠诚”，但他们的目光多是放在了那些很容易变卦的年轻人或中年人身上，商家也为此大伤脑筋，总是思索为什么这些顾客这么难“控制”，却忽视了老年人这个群体。也许是老年顾客的那种细水长流的消费观念比起年轻人的一掷千金给商家的震撼力小了一些，以至商家认为年轻顾客才是他们的真正顾客。

当到你的商店购物成为这些老年人的生活习惯后，你的商机就来了，因为这些老人们不太喜欢变化，因为那会搅乱他们的生活，他们更愿意树立对某些产品的永久信赖，如果可以的话就一直用下去。而对于现在的这些竞争激烈的商家们来说，还有什么比留住稳定的顾客更重要的呢？好的商店总会被传播出去，别忘了，老人们正在变得有钱，世界上的许多国家正在打这部分人的主意，老年人五彩的生活就要开始了。

4. 青少年的消费观

站在任何一个购物场所，仔细观察，从你面前经过的青少年有多少？假设这家商场什么都卖，而不是专门卖成年人的东西，相信你会看见许多身穿校服的学生从你身边经过。

⊙ 有一笔固定的零用钱

尽管多数父母都不喜欢孩子们自己买东西，但是这种情形已经改变，大多数的孩子都有了一笔固定的零用钱。

调查表明，经济上还没有独立的青少年每个月拥有零花钱的情况是：1～50元的人数比例最大，为 23.7%；51～100 元的人数比例次之，为 18.2%；101～200 元的人数比例居第三位，为 15.0%。另外，6.1%的人每个月没有零花钱；0.9%的人每个月的零花钱在1 000元以上；11.5%的人对自己每个月零花钱的情况“不清楚”。

在这个统计数据里面，可以看到，没有零用钱的青少年是极其少数的，大部分青少年都有一部分归自己支配的零用钱。

零用钱说明什么？这当然说明青少年也是商店的消费者。这有别于以前的青少年，以前的青少年们几乎没有什么钱，商店也不用去理他们，因为他们拿不出钱买自己想要的东西。但现在变了，青少年都有属于自己的钱，并能自己决定买什么东西了。

不过，不管怎样，他们的零用钱相对来说还是比较少，这使得他们在选择物品时仍然要考虑价格。在购买行为中，有六成青少年会以价格作为第一个考虑的因素，同时，有八成青少年在购物时会先到其他类似的店铺比较价钱，六成青少年通常会等待商场减价时才购物。对于这部分青少年，你推荐的东西最好不要太贵，质优价廉的对他们吸引力会更大一些。当然，这里面排除了那些很有钱的青少年。所以说，在推销过程中区分顾客属于哪种消费层次的时候，别把对青少年消费层次的鉴别抛离在外。

图4-21

⊙ 对科技的兴趣

你会看到他们乐意尝试各种科技的东西，马路上的自动取款机，商场里的线路查询系统，麦当劳里的交通卡充值机，等等。如果你是卖科技产品的，当一个青少年经过的时候，如果他感兴趣，那么他无论买不买，都会先尝试一下，这让你没有什么可说的。而且在周末或者节日里你会看到更多这样的青少年出现在你的商店里，或者你商店所在的区域，如果你所在的区域都是卖这类科技产品的话。

你再看看他们随身携带的物品，你可能就更吃惊了，他们的耳朵上可能戴着最舒服的耳机，他们从脖子到胸前可能挂着一条可以调节音量、音质的耳机线，他们的胸前可能垂着一个个形状各异的MP3，他们的兜里可能装着最流行、功能最全的手机，他们的包里可能还有什么小型电动玩具、数码摄像机或者其他什么形形色色的科技产品。

图4-22

你再看看他们的卧室，也远比家里其他人的房间现代化得多。他们的房间里可能会配备一台电脑，可能是普通大块头的，也可能是笔记本式的；与电脑相关的其他设备，扫描仪、打印机……；照相机、摄像机；事实上还会有很多我们无法获知的科技产品，因为我们没有去观察众多这样的青少年的卧室。

你再去看看电视上或者网上关于学生们的各种科技发明，你就更加坚信，这个时代熏染了青少年，而青少年也跟上了这个时代，有的甚至走在了前面。

如果和他们谈论上述这些物品的相关话题，你可能会发现他们的知识远超过你的想象。如果给这些孩子们机会，让他们去难倒他们的长辈，包括老师，那可能会引发一场“灾难”，学生对科技的感知让长辈们震惊。

在对青少年消费项目的一次统计上也证实了他们与科技之间的关系。调查结果显示，占据首位的是辅导书一类，累计占 72.4%；休闲、娱乐方面的高科技产品排到第二位，累计占 52.2%；排在第三位的是零食、饮料，累计占 48.8%。

可见，青少年是这些科技产品的一个主力消费群体，如果你的店想销售得更好，那就别忽略这部分群体。尽管有时候他们并不会自己购买，但是他们会说服他们的父母来购买。

⊙ 追求名牌

网络上流传过这样一个笑话：

有个学生爬墙出校，被校长抓到。

校长问他为什么不从校门走，他说：美特斯邦威，不走寻常路。

校长又问他这么高的墙怎么翻过啊？他指了指裤子说：李宁，一切皆有可能。

校长又问他翻墙是什么感觉？他指了指鞋子说：特步，飞一般的感觉。

第二天他从正门进学校。校长问他怎么不翻墙啦？他说：安踏，我选择，我喜欢。

第三天他穿混混装。校长说不能穿混混装。他说：穿什么就是什么，森玛服饰。

第四天他穿背心上学。校长说不能穿背心上学。他说：男人，简单就行，爱登堡服饰。

校长说：要记你大过！他说：为什么？校长说：动感地带，我的地盘，我做主！

这虽然只是一个笑话，但是却无比生动地展现了现代青少年对潮流和名牌的追逐。有一项针对学生的调查显示，有近 1/2 的学生表示他们是某种品牌的忠实群体，他们的房间里有很多某种品牌的物品。

为什么他们会如此钟情于名牌呢？一份调查报告揭示了答案：

问：青少年为什么喜欢品牌物品？

回答“质量好、耐穿，同时也有面子”的人数比例是 36.8%；

回答“既是为了给别人看，也是为了自己心理感到愉快”的人数比例是 20.7%；

回答“生活质量提高的标志”的人数比例是 19.0%；

回答“跟着潮流走”的人数比例是 7.2%；

回答“怕别人看不起”的人数比例是 4.2%；

剩下 12.2%的人回答“不知道”。

从调查结果可以看出，现代青少年不同于他们的父辈，他们已经提前认识到了生活质量的重要，并且相当看重名牌物品，尽管这意味着要付出更多的金钱，但是并不妨碍他们对流行事物与品牌物品一如既往的渴望与追求。所以如果你想让自己的商品在青少年中广为流传的话，就想办法塑造它的品牌形象，吸引这些喜欢牌子的青少年！

图4-23

同时，学生之间互相影响带动的流行风潮也是一股巨大的力量。当有个别学生开始使用或穿着某一品牌的衣物后，就会有其他学生模仿并相互介绍、炫耀，很快这股风潮就会席卷更多的学生，会有越来越多的人加入到这个大军中来。所以，当一个学生成为你店里的常客后，别忘了下次让他把他的朋友也带上。

⊙ 标新立异

标新立异——这几乎已经成为当今青少年的代名词了，他们叛逆，追求与众不同的个性，所以如果你想让自己的商店吸引住这些青少年，那就让它新奇一点吧。

在物品陈列上，你得保证把最有新意的商品陈列出来，并且保证陈列在最多人能看到的位置上。这是吸引青少年眼球的基本方法。

在商品上也应选择那些设计精巧的物品，这是吸引青少年的另外一个很重要的因素。走进某些专门为青少年开的店铺里，你会发现世界上原来还有这么多奇妙、可爱的东西，竟然会有人能制造出这许多妙不可言的事物，它们让人爱不释手，就算是成年人或者都会心动。

一个上小学的小女孩过生日，她的同学送给她一只会说话的小兔子，轻轻一碰，小兔子就会发出清脆的笑声，然后奶声奶气地喊“爸爸”“妈妈”。后来这只小兔子被小女孩的外婆看到了，外婆也特别喜欢这个小兔子，就总是放在手边，没事的时候就用手去碰碰它，听它悦耳的声音，有时候睡觉的时候也放在身边，像个爱玩玩具的孩子一样。

营造新奇的气氛同样很重要。就像迪士尼乐园，里面的过山车或者转盘并没有什么特别的地方，不同的是环境与气氛，迪士尼乐园就像一个童话王国，身处其中的人就像走进了一个童话的世界，纯真、美丽回归到每个人身上，这也是为什么迪士尼乐园能够成为每个孩子的梦想的原因。

⊙ 朋友的意见更重要

“代沟”这种现象已经出现很久了，尽管做父母的已经在努力改变这种状况了，但是东方的父母还是很难做到西方父母那样，成为孩子们的朋友。

图4-24

青少年对流行与新奇事物的触觉非常敏锐，在这些方面父母肯定远不及孩子，而且也不会像孩子那样热衷于此，所以出现代沟是很正常的。但孩子们也不会就此罢休，他们还有与自己一样对新奇事物有着共同兴趣与爱好的朋友，他们能说到一块去，他们当中的某个人还可能是某个时尚领域的“专家”“万事通”，所以，很多时候，孩子们会觉得朋友的意见比父母的可信得多也中听得多。

根据调查，大多数青少年在选择物品时，都是和朋友们先前见过很多次，也商量过很多回定下来的，最后虽然是同父母一起来，那只不过是他们需要父母帮他们付钱而已。

如果青少年不是和父母而是和朋友们一起出现的话，注意观察哪个孩子的意见最重要就是一件必需的事情了。如果你放弃了观察，不找出谁是这次购物的敲定人，那么你就只能听着他们烦人的争吵声，或者看着他们没有结果的离去。

如果青少年们是和自己的家长一起来的，建议店员们更关注青少年，并协同这些孩子们说服父母。理由是：第一，父母可能对要买的东西了解不多，所以做不出更好的决定，而孩子们可能已经经过仔细的考虑了；第二，如果这次不能帮助孩子们说服他们的父母，那下次他可能就不到你这里来买东西了。当然，在这个过程中，店员们不应该只想着怎样把价格高的产品推销给孩子的父母，而应该结合孩子的需求提供最适合孩子们的东西。

⊙ 孩子在家庭购物中的影响力

对比一下，对于 10 年前的孩子来说，父母是怎么为他们买东西的？他们会有些什么反应呢？而对于 10 年后的孩子来说，父母又是怎样给他们买东西的呢？他们对父母买的东西又有什么评价？

这个问题好像很有趣。通过对这个问题的思考，你会发现，孩子的地位发生了巨大的变化，现在的孩子可是和十几年前的孩子有着截然不同的变化。

首先，你会感受到家里的生活用品不只适合与你和你的妻子（或者丈夫），你还要最大限度地方便你的孩子。来自零点指标数据网的一份关于家用轿车研究的数据显示，“为了方便接送配偶、孩子”是家庭汽车消费的四个主要目的之一，其中，31～40 岁年龄组的人做这一选择的人数比例最高。看图 4-25：

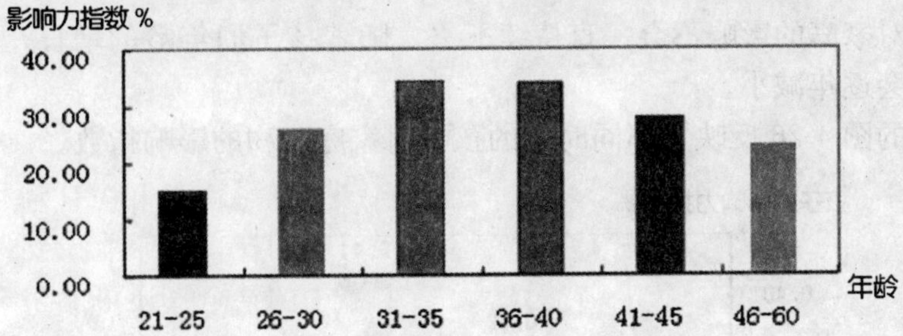

图4-25

（资料来源：零点调查与前进策略《2002 年家用轿车研究》，基于 2002 年 12 月对北京、长沙、成都、广州、上海、福州等 19 个城市4 178名 18～60 岁家庭轿车的实际用户和潜在用户的配额抽样调查。）

这里还有一个关于两个推销家用轿车的推销员的故事。

一天，某汽车专卖店里来了一对夫妇，他们说他们想买一辆适合一家三口用的轿车，请问推销员有什么好的推荐。该店的推销员向这对夫妇介绍了一款内部空间安排比较紧凑的车型，该夫妇看了看，摇了摇头，走了。

然后，他们到了相邻的另一个汽车店里，推销员走过来，问他们有什么需求。他们说想要一个适合三口之家用的轿车。该推销员又问到他们的孩子有多大，这辆车是暂时解决家里没车的困扰呢还是想长期用下去。这对夫妇告诉汽车推销员说他们的孩子刚出生不久，他们不希望带孩子出去逛街的时候总是挤公共汽车，他们以后还可能换一个更好的车子，暂时先用一个便宜一点的就行。原来顾客的需求是这样的，所以该店的推销员向这对夫妇推销了一辆和之前的那个推销员推销的车体积差不多但是内部空间看起来更宽敞的一辆车，因为这样方便抱着孩子的母亲上下车。

看吧，孩子还没多大，就已经影响了父母买车。孩子不光对车有影响，他们还对买房、装修等消费也有一定的影响。如果你是一个装修公司的，除了问问大人的装修意见外，你也要问问他们的孩子，因为他们的房间装修也许他们自己说了算。还有房子，如果你的房子是位于偏僻地方或者交通不方便的地方，家里有孩子上学的父母一定不会租你的房子，因为你为他们孩子的上学问题制造了困难。

所以，现在对于销售大件消费品或者耐用消费品的商店来说，除了注意挖掘当时购买者的各种需求外，还应该关注一下他家里的其他人，可能不止包括孩子，也许还有老人。照顾到一个家庭中更多人的需求，将产品销售出去的可能性也就越大。

孩子对家庭的影响不会一直持续下去，随着孩子们年龄的增长，他们对家庭的干预会逐年减小。

下面的图 4-26 反映了不同时期的孩子对家庭购物的影响指数。

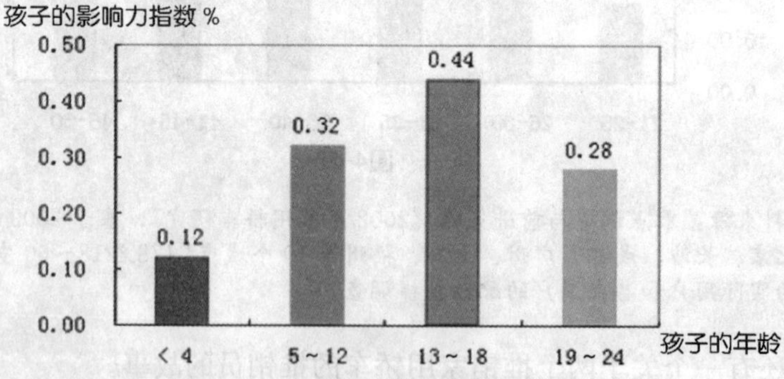

图4-26

（注：图中显示 18 岁之后孩子影响力下降，主要因为进入大学后中国学生往往异地求学或住在学校而干预家庭消费的机会减少了。资料来源：零点调查与指标数据《中国孩子如何影响家庭消费？》）

法则 5

营造更多销售机会

YINGZAO GENGDUO XIAOSHOU JIHUI

- 广告牌
- 原来有如此多的窍门
- 将投诉者变为拥护者
- 打破沉默

汉娜·安得森公司是一家经营童装的邮购公司，这家公司有一个特别之处，就是可以回收孩子们长大之后不能再穿的衣服，送回旧衣服的顾客可以在购买新衣服的时候得到20%的折扣，穿过的旧衣服则被捐赠给当地的慈善机构、孤儿院等。

“我们回收旧衣服计划对每一个人都有好处，需要衣服的孩子得到了新衣服；父母们通过此事教育孩子们要学会帮助人。而且，顾客因捐赠而得到的折扣也让他们觉得我们的价格很合理，他们知道这些衣服质地良好，他们可以穿很长时间，他们会省很多钱。”负责公司公共关系的负责人说。

只通过正常的邮购，相信汉娜·安得森公司的生意不会有什么了不起的发展。但他们看出了其中的门道，利用回收旧衣服来营造额外的销售机会，最终使公司得到了蓬勃的发展，还获得了很好的声誉。

营造额外的销售机会的方法不仅于此，在本法则后面的内容中介绍了很多种方法，巧妙利用它们，相信可以给你的商店带来更多的惊喜。

1. 广告牌

走在大街上，两旁林立着各种各样的商店，难免让人视觉“麻木”，此时什么样的店会脱颖而出吸引顾客的注意？除了店内陈设装潢等因素外，还有一点很重要，就是一副吸引眼球的好招牌！

做广告是促进销售的好方法，但如果抓不住技巧的话，顾客会对它们视而不见，你的广告就形同虚设！

⊙ 一副好招牌

要让顾客买你的东西，就先得让顾客进你的门，如何让顾客注意到你的商店就变得重要起来。如今，相当一部分人已经意识到，招牌是有效提升店铺形象的低成本的好东西，拥有一副醒目、突出的招牌可以助你突围而出，不被千千万万的店铺所淹没。

图5-1

根据对顾客心理和行为习惯的深入研究，我们发现以下这些特点可以使你的店铺招牌更加“抢镜”。

凹凸。立体的东西总是要比平面的东西更吸引人，招牌也如此。所以我们可以把门面招牌通过浮雕、压花、雕刻等手段处理成半立体的形状，这样处理过的招牌会比平面状的更加突出。在字体上，我们可以应用“切割文字”使字体变得凸起，或者应用“凹陷文字”使它内陷，均可以增强其立体感。

形状。现在街上看到的招牌大部分都是四角尖尖的矩形，其他形状的则非常少见。其实招牌的形状不必一成不变，可以根据所经营商品的不同而有所变化。如，经营女性用品的商店，可以把矩形招牌的四角做成圆弧形，传递出柔软、亲和的感觉。经营男性用品，或如银行等需要传达诚信、可靠的机构则可以采用矩形，因为它的四个直角能够给人坚固的感觉。

留白。招牌中文字的设置及分布也会给人不同的感觉。别以为文字是越大越好，以为这样可以更加醒目，其实这未必是好事。如果硕大的文字占满了整个招牌，几乎没什么空地留下的话，那么给人的感觉是——小气＋俗气。相反，

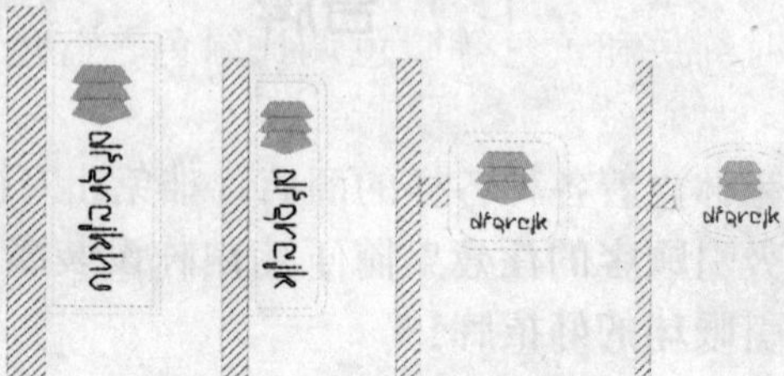

图5-2

如果把文字缩小，增加余白的话，则会给人高贵的印象。这个道理很简单，想想在大排挡吃饭和在高级餐馆吃饭的不同，大排挡会给你满满一大碗米饭、满满一大盘菜，而高级餐馆是不会把米饭盛满、把菜肴装满的，哪个会给你留下高雅的印象呢？

图5-3

当然，物极必反。也不能一味地缩小字号、增加余白，导致整体失去平衡，那样传达出的信息就变成了——低廉！

光线。相比黑暗，明亮的东西总是更吸引人们的注意，所以我们可以通过灯光来给招牌添光彩。灯光招牌有很多种，比较常见的有：内部装入氖气等发光的霓虹灯招牌，在平面招牌上用聚光灯等聚焦照射的灯光反射招牌，使用小灯泡进行装饰的直接灯光招牌。此外，还有一种招牌是利用小灯泡做成的电子显示屏，通过闪亮来显示图形和文字。

色彩。要想使招牌有很高的识别性，合理地运用色彩也很重要。

第一，背景色应该能够突出文字和图形。

背景色和图形颜色在亮度和鲜艳性方面应该反差越大越好，这样能给人以强烈的视觉冲击，同时红色和黄色等暖色调比绿色、蓝色和青紫色等冷色调效果更好。

第二，不要使用相似色。

色彩相似的话，容易产生同化效果而使人看不清楚。

第三，不要使用亮度相近的色彩。

对亮度相近的色彩，当站到一定距离观看时，底色和图形边线就容易变得模糊，很难使眼睛的注视点停留下来。

第四，包括底色在内，色彩不要超过三种。

色彩种类太多的话，站在远处看时，就会觉得色彩斑驳，相互融合在一起令人难以分辨。

动感。纹丝不动的和运动的物体，哪个更容易引起人们的注意？显然是后者。那些随风飘动的招牌、靠电力驱动的招牌都可以吸引人们的眼球。与此相类似，霓虹灯招牌和闪烁的灯光招牌也可以通过灯光的跳跃吸引行人的注意。

反映店铺形象。招牌不一定只能用文字来传达信息，有的商店会把所经营的商品做成具体形状放在店门口。

一家西饼店在店门口放了一块巨大的、色彩诱人的糕点，当然——它是假的；一家牛仔裤专卖店则在门口竖起了一条真牛仔裤，不过人们只能围观而不能穿，因为它太大了，大到远远超出正常人的身高。

图5-4

以上这两家店做出的无疑是聪明的举动，它轻而易举地就吸引住了顾客的视线，既传达出了商店的个性又因其有趣的形象而给顾客带来了欢快的印象。

除此以外还可以把某种商品或象征性的东西画在招牌上，如，流行饰品店把发卡、项链等画在招牌上，鞋店把鞋子画在招牌上，等等。

⊙ 你一秒钟读几个字

现在，零售业的竞争空前激烈，所以你不能浪费任何一个向顾客宣传的机会，而广告就是一个最佳的宣传工具。

你可以把广告放在商店门口，也可以把它放在商店里，还可以放在橱窗里，不管你把它放在哪里，都要保证能让顾客一眼就看见，并且记住上面的内容。因为在顾客眼睛的扫描过程中停留在广告牌上的时间平均不会超过两秒！不要以为两秒钟还是能读好几个字了，当顾客在正常地扫视时，如果不是特别留意某样事物的话，他的视线只是扫过你的广告牌而已。此时，连两秒都没有。

图 5-5

某商场在店外贴了一张这样的广告："好消息，本商场为回馈广大顾客一直以来的支持与厚爱，将于即日起进行为期一周的购物优惠活动，欢迎新老顾客光临选购！"

毫无疑问，这样的广告起不到什么效果。广告词太长了！顾客只有停下来才能把它看明白。而要想第一眼就给顾客留下印象，仅仅几个字就够了："大优惠"。而当顾客被吸引走进店内时，你可以再设置另一个广告牌来对外面那个含蓄的广告做出解释："本商场为回馈广大顾客一直以来的支持与厚爱，将于即日起进行为期一周的购物优惠活动，欢迎新老顾客光临选购！"你明白了吧，将广告信息拆分成两三个部分，使顾客在进店的过程中，每往里面走一点就多看到一点信息，这才是精明的广告设计。

⊙ 他没看见

现在随处可见广告，商店里也有各种广告，你留意到你上次去的那家店都把广告放在哪里了吗？如果你能清晰地回忆起来，那可真得恭喜那家商店了——他们的广告成功了！如果你完全没有印象，甚至瞪大了眼睛惊愕地问"他们有做广告吗？"——那可真不幸，他们的广告彻底失败了！广告效果的好坏并不完全取决于设计师对广告的设计，如果把一个很好的广告放在不合适的地方，那比把一个不怎么样的广告放到最合适的地方还要糟糕。因此，你千万不能拿着广告在商店里瞎转，看见墙上有空余的地方就“啪叽”一下贴上去，也不能抱一堆宣传单“哐叽”一下堆在柜台上，以为这样就完事了！

正确的放置广告牌的位置应该能够挡住人们的视线。这一点听起来很简单，可很多人都做不好。就像某些邮局那样，把广告贴在写字台和过秤台上，以为趴在那儿写字的顾客和给物品称重的顾客可以顺便看看广告，结果经过调查发现，只有极个别的顾客看了那些广告。这样的结果一点也不意外，因为当你在写字和称东西的时候，你的注意力都在正在进行的事情上，不太会去关心其他的事，这是人之常情。

要找到正确的位置，你可以在商店里到处走走看看，仔细观察环境并不停地问自己这几个问题：“顾客在这儿会干什么?”“广告牌放在这里会怎样？他们看得见吗?”“顾客站在这里眼睛都在看什么?”找到顾客的视线注意方向，自然就知道广告牌应该放在哪里了。不过要注意，好的位置和坏的位置往往只相差一点点。

有一家店在收银台正上方挂了一个广告牌，原以为排队等待收银的顾客一定都会注意到它的，结果经过观察调查后发现——只有很少一部分顾客看到了这个广告牌！怎么会这样？原因是广告牌挂得过高了，一般人在正常情况下都不会抬头看空中的。当把广告牌往后挪了一米左右的距离后，商店发现注意到这个广告牌的顾客人数大大增加了。

⊙ 他很闲

顾客等在那里无事可做的地方也是散布广告的好位置，此时他们很无聊，眼睛也很闲，那就给他们看点什么吧。比如，顾客来买鞋，在店员去仓库给顾客找鞋的这段时间里，顾客找不到事情做，因为他们往往已经把店里的鞋子都看遍了，所以只能坐在那里眼睛东瞄西看，看看其他买鞋的人，看看商店外走过的人。何不抓住这个机会向顾客介绍其他商品呢？像手袋这类商品的宣传单最好在这个时候递给顾客，既可让他解闷，又可让他琢磨一下哪款包适合自己。

关于这一点，还有一个很典型的例子。

一家生产自动割草机的公司专门为自己的产品制作了一个10分钟的宣传片，通常人们很自然地就会想到要把这个广告片放到售卖家庭园艺产品的商店里，并且放在卖割草机的区域，因为那样可以让来园艺区的顾客都看到。可是这家公司没有。他们很聪明，他们知道如果在商场的园艺区里播放，其结果是

图 5-6

顾客根本不可能一动不动地站在那里看上 10 分钟。不仅仅是他们愿不愿意看的问题，而是他们很容易被那些挑选花盆、花锄、植物、肥料等东西的顾客挤来挤去，没人愿意受那份罪的。所以，他们明智地选择了把广告片放到维修园艺设备的地方，并且放到顾客的等候区。在那里，顾客都闲得发慌，他们对任何可以打发时间的东西都会感兴趣。果然，这个广告宣传片牢牢地吸引住了他们，一个个都看得津津有味。而且，注意还有“而且”——光顾维修处的顾客早晚都得购买新的割草机！

所以，与其让你的广告堆在一旁没人理，与其让等待中的顾客无聊得抓狂，不如让他们俩互相交流交流。

⊙ 逻辑顺序

贴广告有它自己的逻辑，出现得太早，会被顾客忽略；出现得太晚，顾客也会视而不见。

举个快餐店的例子。当顾客走进麦当劳的时候，要做的事情只有两件：直奔柜台点餐，找洗手间。当顾客来到柜台边的时候，心里想的是要吃什么，此时是不会注意其他东西的。他们会浏览墙上的菜牌，决定自己吃什么。如果排的队伍很长的话，他们才会去更加仔细地看看菜牌和留意一下周围的其他情况，这时如果有新品广告和优惠广告的话，就有可能引起他们注意。当向服务员点完餐后，服务员去准备食品的这段时间，他们才会整个地放松下来，这时他们已经点了东西了，也付过账了，没别的事情可做了，这时候做广告最好不过了，可以介绍那些能吸引他下次再来的东西。当顾客拿到自己的食品后，他们就会离开柜台，要么去找座位，要么去拿调味品，所以可以在调味品旁边放一些宣传资料，不过此处放什么宣传资料也得符合逻辑顺序。如果你向他介绍的是新出的汉堡包，那就没用了，因为太晚了。可是如果是关于甜品，那就差不多。坐到座位上后，他们就开始吃了。他们边吃还会边干什么呢？如果是结伴而来的，他们会边吃边聊天；如果是孤独的进食者，他多半愿意接受可以消遣的东西，比如垫在餐盘底的那张彩色的广告宣传单，他会去看上面的字，甚至桌子上任何可以找到的可以阅读的东西，哪怕是一个零食袋子他也可能把上面大大小小的字通读一遍。通往洗手间的路是一个关键要道，在这里挂广告应该不错，不过可不要把顺序弄反了。如果广告正对着去洗手间的人，那没多大用，因为——他们有更急的事情要做；可如果调个顺序，让广告正对着从洗手间出来的人，效果会好很多。

图 5-7

现在你明白了吧，广告要在正确的时候出现在正确的地方，而且还要用正确的方式，遵循正确的顺序。在有的地方，顾客不会停留，所以广告要简短、醒目；在另一些地方，顾客会多待一会儿，你就可以把广告做得详细些，千万不要把一个需要十秒才能读懂的广告放在顾客只会停留两秒的地方。

2. 原来有如此多的窍门

广告只是提供购买的理由和信息，而销售手段与方法则制造了购买的刺激，使不买的开始买，少买的多买，不但自己买还介绍熟人也来买，这是商场经营中不可缺少的重要手段。

下面，我们就来看看销售都有些什么花样。

⊙ 一张优惠券

优惠券用于对商店的正常销售实行折扣，它可以印刷在报纸、杂志上，顾客剪下后就可以使用，也可以作为独立夹页夹在报纸、杂志中提供给顾客，还可以在商店中当场分发给顾客。

优惠券的优点在于：多数情况下，都是供应商为广告和优惠券付费；优惠券可增加商店的客流量，据调查，99％的顾客在一年中至少使用过一次优惠券；有了优惠券，顾客会认为商店提供了很划算的购物机会；商店可通过回收的优惠券数目来衡量广告的效果。

它的缺点在于：顾客只在有优惠券的时候才来购物；回收率低，多而杂乱；可能在使用中出现欺诈现象；较高的管理费。

⊙ 有礼品送

赠品有两种。一种是免费的，顾客不需要购买商品即可以获得，可以是诸如面巾纸、气球、打火机、笔、日历等低成本的物品，在这些物品上最好能印上商店的名称，这样更有意义。另一种是顾客需要购买一定的商品才可以获得的物品，这类物品往往成本较高，如，洗发水、一套水杯、高级装饰品、玩具等。

图 5-8

这种手段基本上没什么缺点，可以配合一些大型活动，如开业庆典、周年庆等实施，也可以在一些特定节日，如妇女节、劳动节、儿童节、中秋节、情人节等实施，还可以在供应商推广其新产品时派送。

赠品的选择很重要，关系到促销活动的成败。虽然它的金额不高，但是必须保证有实用性并能吸引人，这样顾客才会看重它的价值和意义，促销的目的才能达到。

⊙ 竞赛和抽奖——娱乐又刺激

竞赛和抽奖在本质上是相似的，它们通过让人们参与活动来赢取实质性的奖品，从而吸引顾客的光临和购买。不同的是，在竞赛中需要顾客表演某些技能，如有的商场在店内举行卡拉 OK 比赛，胜出的顾客就可获得礼品。而抽奖则只需顾客购物满一定金额就可参与，谁是最后的幸运者随机抽取决定。

图5-9

竞赛和抽奖的缺点在于费用较高，需要反复使用才能吸引顾客。同时顾客要获得奖励也必须有所付出。以美国为例，每年供应商和商场在竞赛和抽奖上的花费超过了 2 亿美元。

⊙ 限时折扣，快来抢购

是指在特定的营业时段内，提供优惠商品或给予打折，以此刺激顾客购买。如在早上8时至9时半，所有商品均有六折优惠；或在下午2时至4时，某品牌服装六折优惠。这样，以价格为着眼点，利用顾客求实惠的心理，刺激其在优惠时段来购物。

在采用这种促销手段时要注意：第一，要做好宣传工作，可以派送宣传单，写广告牌，或在商场内定时循环用广播的方式告知顾客；第二，所优惠的商品在价格上必须与原定价格有三成以上的价格差，才会对顾客产生足够的吸引力，达到使顾客踊跃购买的效果。

图5-10

⊙ 常客优惠，多多惠顾

每个人都喜欢得到免费的东西，或获得更多的优惠，如果他们知道光临你的商店可以“有利可图”的话，他们会拥护你并时常光顾你的店。因此，常客优惠策略被很多商店采用。总的来说，常客优惠有以下几种方式：

顾客每次购物都可以根据购物金额获得一定的积分，当积分达到既定的标准时就可以获得会员卡，以后凭会员卡购物就可以享受会员折扣；

顾客每次购物都可以根据购物金额获得一定的积分，当积分达到既定的标准时就可以获得商店赠送的礼物；

当顾客购买的商品达到一定的数量时，可以获得优惠，如，买满10件，下次购物有半价优惠，或买10送1。

巴伯·托得是俄勒冈州波特兰一家从事邮购业务公司的老板，拥有2 100万美元资产。她坚信送顾客礼物是一个很好的方法。每当顾客从她那里一次性邮购超过250美元的商品时，她就会送给客户礼物。虽然这个计划被认为是危险的，但事实证明并非这样。因为这些礼物是积压产品或者是样品，如果打算卖掉它们，实际上是卖不了几个钱的。托得还会随礼物给客户寄一封亲笔信。礼物的零售价是75美元，如果是批发或者通过其他方法卖的话只值15美元。托得很高兴用这样一个小东西来换取大额订单。“要做成250美元的生意可要花费更多的钱。”她说。这个计划从开始的几个月里，收到礼物的客户再订货率从

5%上升至25%，平均订购额从100美元增加到300美元。

店员应该向顾客解释这些计划，并提议顾客从这次购物就开始为换取奖品或额外优惠做准备。店员应该利用这少量额外的奖赏计划去鼓励顾客将来再度购物，并且告诉顾客你感谢他们光临惠顾。

另外，要提醒再度光临购物的顾客，要好好利用他们的优惠。不要使顾客每次都要主动要求店员兑现一些优惠计划……店员必须让顾客知道，他想帮助顾客善用这个专为特别顾客而设的额外优惠计划。

常客优惠策略的好处是可以培养顾客忠诚度，因为顾客只有不停地光顾你的店才可以获得好处，这对于大部分没有什么特色的商店来说，不失为一种吸引顾客的好方法。

⊙ 免费试用，满意再买

顾客对自己不了解的东西总是不太确定，所以免费试用也是一种有效的销售手段。如，让顾客免费试吃方便面、水饺、蛋糕，让其知道味道的可口；让顾客免费试用化妆品，让其感受化妆的效果；用所销售的美发器为顾客免费电发，让其知道效果的出色；等等。通过实际试用和专业人员的介绍，可以吸引顾客并增加其购买的信心，同时也可以促进顾客冲动购买。

图5-11

在使用这种方法时要注意：地点要恰当，要既可以达到促销目的又不会影响店内其他商品的销售；对试用品和其供应商的选择也很重要，通常需要供应商有意配合推广，并提供试用品及做法，最好能安排专门的人员负责现场操作。

⊙ 特别策划，大家同乐

对于诸如常客优惠之类的销售手段，商店可以长期实行，但有些促销方式，如打折等就不宜天天有，否则顾客会怀疑打折的真实性，以为是商品卖不出去或质量不好才降价，同时也会降低商店的品牌形象。因此，我们要给推行某些促销活动找一个理由，节庆日就是一个最佳时机。除此以外，我们还可以自己策划一些事件。这些事件可以是商店的盛大开业典礼、庆祝新分店开业、周年庆、时装展示会、艺术展或邀请某位名人到场等，伴随这些活动，我们可以展开一系列的促销活动，既可以激发顾客的热情又可以名正言顺地促销商品。

不过，在进行特别策划时，要计算好活动费用和潜在收益，潜在收益包括了是否能增进顾客认同感、是否能提高客流量、是否能促进销售额，如果盲目举办，搞不好得不偿失。

图5-12

⊙ 以旧换新，你好我也好

商店可以提供特别的以旧换新计划，以防止顾客转向竞争对手。以旧换新开始时在汽车代理行业较为普遍，不过，现在在零售行业也逐渐成为趋势，有些售卖电器、计算机、相机，甚至牛仔裤和皮鞋的商店，也开始以旧换新了。有些商店会把那些物品循环再造或重新修补，然后再次出售，其他的则会把它们送到慈善机构。

这种方式的确有受到顾客欢迎的理由。一方面，顾客舍不得丢弃的旧东西也算有了一个好“归宿”，毕竟被生产厂家回收比扔进垃圾堆要好得多。另一方面，只要再加上少许的价钱，就可以又得到一个新的，这让顾客觉得很划算。

图5-13

美国零售业巨头彭尼公司的首席执行官阿伦·奎斯通说过：“请记住，零售业的所有都和人有关：预计人们的需要，知悉他们的生活方式、喜好和期望，找时间去观察他们做些什么和怎么做……尝试明白他们。然后，当他们来到你的商店时，要比他们所预期的给予多一点点的东西，这就是要在零售业成功的秘诀。”

⊙ 建立信用账户

要创造重复不断的生意机会，还有一个方法就是鼓励顾客在店内开立信用账户。一般来说，售卖高价货品的商店，如家电、器械等，或每次都要大量销售的商品，就是最适宜提供信用账户服务的。这对商店来说，也是维持顾客不断前来的一种方法，同时顾客也会在每次购物的时候享有一定程度的优惠，是互利互惠的好事情。

但是，有些顾客并不一定能看到这一点，这时，就需要商店采用一些“手段”，比如说开户时所购商品全部九折，或者开户时享受礼品。其他的好处还包括：预先收到减价促销的通知，收到有一定额度的优惠券，只针对信用账户成员的某些特价，等等。这些小小的额外优惠，对于顾客来说，也是非常吸引人的。

不过，要注意申请信用账户的流程应该能快速完成。许多顾客就是因为拒绝填写长长的一张单子而拒绝申请信用账户。假使申请单要求填的内容真的很多，但是实际上有很多是没有用处的，那么就可以把必填项用醒目的笔画出来，告诉顾客除了那几项外其他的不用填，相信顾客也不会拒绝填写的。

一个商店里设立了这项服务，只要某次买东西超过100元就可以申请信用账户，并且在以后的购物中，即使不打折的商品，顾客也依然可以享受九折优惠。但是商店发现来申请的人并不多，尽管买满100元的顾客并不少。后来，通过调查发现，商店的信用账户申请单要求填的项目太多了，有的时候顾客填错了，店员还会表现得很气愤，因为重填或者修改增加了他们的工作量。后来，商店把那个有A4纸那么大的且要填完两面的信用账户申请单缩小为小32开那么大且只有一面，填写申请单的顾客数量马上上去了。

⊙ 忠告——小心对待降价促销

如今，走进商店随时都可以看到“促销”、“打折”的宣传标语，走在街上还有人给你发传单，家里的信箱也常常被各种促销广告单塞满，手机也时不时收到一些关于××商场搞优惠活动的短信，就连买张报纸，里面说不定都夹着一张促销优惠券。整个销售界不停地刮着促销风，商家不停地挥舞着“促销”的大旗，都希望能够赚个盆满钵满。不过，降价促销虽然是一种有效的销售手段，可并不是灵丹妙药、万病皆医，如果掉进盲目降价的陷阱，很可能赔了夫人又折兵。

合理的降价促销活动往往是基于以下这些原因：

1. 产品接近保质期，但还存在较大库存。
2. 季节性很强的商品面临淡季。
3. 对付竞争对手。

4. 厂家急于回笼资金。

同时，降价促销可能存在的副作用有：

1. 并不能从根本上解决销售不畅的问题，只能在短期内促进销量，而且如果操作不当，还可能出现销量增加但利润下降的现象。

2. 对新产品，特别是知名度不高的产品做降价促销作用不大。

3. 产品的价格难以复原提升，尤其是批发市场，批发市场的卖点本来就在于低价销售。

4. 降低企业利润。

5. 容易引发与竞争对手的价格大战。

降价看起来很简单，但有的商家运用起来能受益，而有的商家却会受损，它就像一把双刃剑，可以克敌，也可能伤己。所以，对于降价促销的规律和技巧，我们应该要做深入的研究和分析，从而保证自己打一场漂亮的战役。在实际操作中要注意以下几点：

1. 选择正确的促销时机。在商品接近或处于销售淡季时，以及商品接近保质期时都适宜进行降价促销。

2. 降价时间不宜超过 4 周。主要应考虑顾客实际的购买周期，如果降价时间过长，一方面对自己的利润有损害，另一方面价格可能难以复原。

3. 商品降价的幅度应占零售价的 15%～20%，否则对顾客的吸引力不大。

⊙ 难道就这样让她走了吗

一位女性顾客在某个店里逛了一圈，脸上带着不太满意的表情。店员问她："小姐，您想买什么样的衣服啊？""我有一条银色的带线条的裙子，我想配一件也有条纹状的上衣，你们这里有没有？""哦，我们这里的衣服没有这种款式的。""这样啊，那我再到别的地方看看。"顾客说完就走了。

图 5-14

这种情况很常见，顾客在某个店里找不到她想要搭配的衣服，她就会一家店一家店地找，最终也许她能找到，也许找不到，还可能找到了但是搭配起来并不合适。

事实上，对于搭配这种事情来说，并没有什么绝对的样式，不同的搭配会有不同的效果，只要让顾客觉得某种搭配是很合理的就可以了。所以，上面案例中的店员，完全可以不让顾客那么容易走掉的，她可以提供其他的搭配方式。在现在的商店里，商品的种类多达上百种、上千种，所以想要为“一条裙子”搭配“一件上衣”，应该不是什么很难的事。

我们想说的是，当顾客在店里找不到她想要的东西时，如果还能有其他的选择，那么店员就应该做好推荐其他商品的工作，让顾客在失望的时候又产生新的希望，从而促成额外的销售。

不过，有些商品是属于不可替代型的，除了这种，其他种都不合适，这种情况也是可能发生的，那怎么办呢？沃尔玛的做法也许能给大家一些启发：

有一次，一位顾客到沃尔玛商店寻找一种特殊的油漆，而沃尔玛商店没有这种商品。他们并没有一推了事，而是由油漆部门的经理亲自带这位顾客到对面的油漆店里购买，这使顾客和油漆行的老板感激不尽。

尽管沃尔玛并没有从这次推荐中获得额外的销售额，但是他们获得了更宝贵的东西，就是顾客和其他竞争者的感激与满意，这难道不是最重要的吗？

对于有些商品来说，顾客对它的要求可能就更高些，并不是那么容易代替的。随便为一件衣服搭配另一件衣服是很容易的，即使并不怎么好看，顾客也不会特别恼火；但是当顾客指明要某种颜色油漆时，就不要自作聪明地提供其他替代品了，当刷到墙上的颜色并不是顾客想要的时，他们可能就要大怒了。

所以，当你的店里实在无法为顾客提供其他替代品的时候，如果你知道还可以在哪里买到，那就告诉顾客吧，别用小心眼去对待顾客和你的竞争者——我知道哪里有卖的我也不会告诉顾客，要不，不是便宜了我的死对头？学一学沃尔玛，他们能有今天的世界排名第一的位置并没有什么旷世的诀窍，他们只是遵循了“顾客至上”这样一条简单的道理，他们可以用任何方式或是特殊方式，甚至是全美行业中绝无仅有的方式为顾客服务。想一想北欧航空公司的一句名言——“穿墙而过”，就是指不拘泥于规章制度，而是一切以服务顾客、让顾客满意为基本原则，其他规则章程都要服从这一总原则。

⊙ 1＋1＋1＋……

提供替代品是促成额外销售的一种方式，还有一种方式也可以促成额外的销售，就是当顾客购买完一部分商品的时候，建议顾客再购买其他商品。

在这里我们以服饰为例。常常听到顾客这样的抱怨声：“这件衣服挺好看的，可就是没有合适的裤子相配。”“这个帽子买回来之后才发现根本就没有能搭配穿的衣服。”在顾客的衣橱里，能够很好搭配的衣服其实并不多，当然，除了套装之类。所以，能为顾客提供搭配好的商品，正是替顾客解决了这一大难题。

但是当顾客买了一件衣服之后，又为顾客提供一件搭配起来很好看的裤子已经没什么竞争力了，现在的顾客有了更高的要求。在这里我们以女性顾客为例。除了与一件衣服搭配起来很好看的裤子外，顾客可能还想要一顶时尚的帽子、一个宽边的太阳镜、一双乳白色的长靴、一条银色的项链、一个小巧的挎包，因为这些都搭配到一块才能让顾客觉得买齐了东西，或者这些都搭配到一块才让她能出一次门。女人出一次门的确是一件挺麻烦的事。

尽管有些店已经意识到了这个问题，但是看起来做得并不到位。这些相关产品的数量和种类都很少，顾客没多少选择。有些店主认为，为顾客提供那么多的搭配商品是一件很困难的事。事实上也许没有那么困难，只要店主肯花点时间和心思，到一些生产鞋、帽之类的厂家走一走，就会发现和自己店里所售衣物很匹配的其他商品。现在有很多有个性的小店，店主总是能为某件物品提供很多漂亮的相关物品，尽管价格有点高（因为店主是花了很多时间和比较贵的价格得到这些商品的），但是他们的生意还是很红火，而且还培养了很多熟客。只是很多店主似乎懒得这么做，毕竟这要花费和原来的经营模式相比多一些的时间和精力。在这里，想劝告店主们，别懒得做这件事，现在的顾客喜欢这个，需要这个。

当然也有的店虽然也做搭配销售，但搭配得并不怎么样，不能起到让顾客连带消费的作用。要知道不协调的搭配就像在一个美女脸上贴了一撇小胡子，看了很别扭。与其这样，还不如不做。

另外，也不是要求店主为每件商品都要挑选搭配商品，我们建议把重点放在店里的主打商品上，为这些主要商品提供相关搭配，因为这部分商品也是店里的主要销售源。为非主打商品提供这样精心的配置，可能有点不划算，不过在不经意间发现了很好的搭配产品也可以买回来。相信顾客在一次买了搭配得很好的商品之后，还会来第二次、第三次，因为在这里省去了她的很多麻烦，她不必再为搭配衣物而感到心烦了。

3. 将投诉者变为拥护者

顾客购买商品时，对商品本身和企业的服务都抱有良好的愿望，如果这些愿望和要求得不到满足，就会失去心理平衡，由此产生的抱怨和想“讨个说法”的行为，就是顾客的投诉。

任何商场在为顾客服务的过程当中，总是无法避免地要遇到一些顾客投诉的事件，即使是最优秀的企业也不可能保证永远不发生失误或不引起顾客投诉。许多管理者和一线服务人员对投诉有一种天生的恐惧感，认为顾客投诉只会为自己和公司带来负面影响。其实完全不必如此恐慌，只要掌握了一些方法，顾客投诉是不会影响自己和企业声誉的。只不过有一点是要始终记住的，面对顾客的投诉时，一定要认真对待，毕竟它是负面的。

有一个很好记的处理顾客投诉的口诀，叫“THANKS”，是由六个单词的首位字母组成的，它包含了处理顾客投诉的六个步骤：T（thank）——感谢顾客投诉；H（hear）——聆听顾客投诉内容；A（apologize）——为顾客遭受不便而道歉；N（need）——需要更多资料以便查问；K（know）——知道怎样解决，准备提出答案；S（solve）——解决问题。这是一个化解顾客不满的很好用的模型，下面会一步步进行分析。

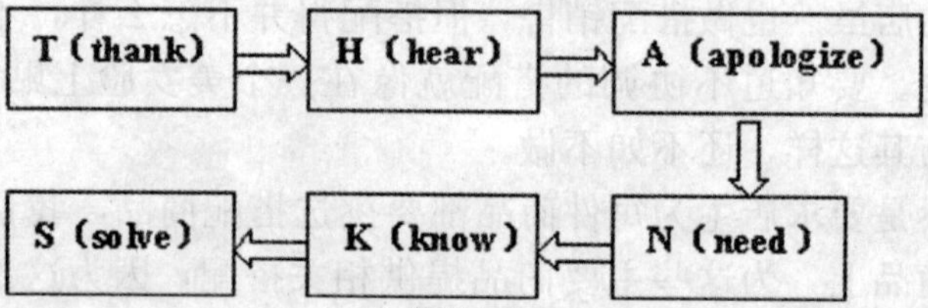

图5-15

⊙ T（thank）：感谢顾客

有人会反对这种说法，难道对于挑剔的顾客还要感谢吗？是的，如果这个人是住在你隔壁，他对你的生活方式很不满意，那么对于他的抱怨，你完全可以不用理会。但是，现在这个人变成了你的顾客，在这个买方市场时代，你就得感谢他了，因为他这个时候提出的抱怨实际上是在告诉你怎么样才能留住他，让他在你这里花钱。这难道不是店铺得以存在的基础吗？还有更深一层的原因，也可以提一提，就是顾客的投诉也是店铺得以发展的动力，因为正是顾客的抱怨，才使得一线人员和管理者知道什么产品、服务、设施及政策需要改善。没听说过哪个企业或者商店做得让顾客完全满意的，因为它们总是还存在着这样或那样的缺陷。身处其中的人很难发现，但是作为旁观者的顾客却很容易发现，因为他们是被服务的对象，他们能够体验出某种服务的设计是否合理，而服务的实施者或者设计者在改善这方面的反应就慢了一些。顾客自告奋勇地担当了这个“进谏者”的角色，难道不值得感谢吗？

图 5-16

其实管理者和店员不肯表达自己的感激之情，一方面是他们不认为批评的话有什么积极的意义，他们只知道顾客是在无理取闹，而自己似乎受了委屈；另一方面就是懒得改变现状，他们觉得现在挺好的，为什么要改变呢？而且改变后的情况肯定要比现在不自在得多。也许就是这样两个原因，让顾客得不到他们应该得到的表扬。

分析了这么多，相信大家已经准备好从此以后对顾客的投诉表示感谢的决心了。是的，这样做，绝对是没错的。

⊙ H（hear）：聆听顾客

当顾客来投诉时，你要准备做全世界最佳的聆听者。你要记住，不论顾客是如何愤怒地做出这项投诉，都为你们提供了改善的机会。把这记在心里，可以帮助你保持耐性和体谅顾客。来投诉的顾客有不同的表现，有些虽然不快但还算有礼貌，有些可能有少许的愤怒，有些则可能怒火中烧。但你要让自己集中精神——因为你要找到解决问题的资料。玫琳凯公司的创办人 Mary Kay Ash 说过：“聆听的时间足够，通常都会找得到适当的解决方法。”

从上面的话可以看出，聆听顾客投诉的时候得具备一些素质才行。首先是耐性。人们大都喜欢自己说，让别人听着，但这招对顾客不行，面对有意见的顾客尤其不行，这时候必须让顾客说个痛快，也许最后的解决方法并不尽如人意，但是顾客的不满能得到充分的发泄，那么他们对最后的结果可能就不会要求那么高了。其次是听“话内音”，听听顾客希望的是什么。其实顾客在倾诉不

图 5-17

满的过程中，大多都会提到他们希望怎样，这实际上就是在给聆听者提供解决方法的信息。最后，要小心表情。当顾客投诉的时候，他们的心情多是不怎么样的，在那个时候，如果再看到满脸灿烂笑容的受理投诉的服务人员时，他会怎么样？肯定是更不舒服。所以，对于专门处理顾客投诉或者看到顾客有投诉倾向的店员，记住收起笑容，用严肃一点的表情。但也不用很严肃，只要让顾客觉得你的态度和他的心情是一样的就行了。

以上是在聆听顾客投诉的过程中值得注意的地方。

⊙ A（apologize）：表达你的理解

当你接待一位来购物的顾客时，双方的关系是从正面开始的。但是当一位顾客是来投诉时，你们的关系就是从负面开始的了。这时，你需要做的工作是把顾客的这种负面感扭转过来，而最有效的方式就是向顾客表示歉意。要知道，这并不是在向顾客低头，而是在认同顾客的不快和不便。

一个母亲为她的儿子买了一个可以安装在草坪上的秋千架作为生日礼物，但是没想到儿子生日那天刚玩了一会儿秋千架就坏掉了。儿子为自己被破坏的生日很伤心，母亲怒气冲冲地去找那个商店。"你们是怎么回事？卖给我一个那么糟糕的秋千，我的儿子很伤心，那天是他的生日。""我很抱歉您买的秋千架在您儿子生日那天坏了，你们一定很不高兴。""是你说的这样。"顾客的火气明显降了下来。"让我们想想怎样赔偿您和您儿子的损失，好吗？""这样啊，那好吧，看看有什么办法让我的儿子重新高兴起来，其实我没多大关系了。"于是两个人商量起解决的办法来。

有时候，你的认同可以马上让顾客心情平静下来。你和顾客的关系也在向正面的方向转变，可以说这是你重建顾客信心和忠诚度所必需的。

⊙ N（need）：需要更多资料以便查问

在聆听之后，你仍然可能找不到合适的解决办法，这时，你就需要获得更多的资料。所以你要尝试着去了解发生了什么事、什么时候发生的、发生在谁身上，通过这些问题，引导顾客说出更多信息。

一个顾客为他的烤炉不具备自动清洁功能而投诉，接待人员听他说了很久，也没找到事情的原因，因为他反复说的只是那一点——他的烤炉不具备清洁功能。在耐心地等了一段时间后，店员说："请告诉我更多一点可以吗？您是按照说明书上的要求启动这个功能的吗？""哦，没有，我觉得只要按了烤炉表面上的自动清洁按钮就可以了。""不，先生，您一定是没把烤炉的门关上并扳上锁杆，是这样吗？""恐怕是这样的，我也许想看看它是怎么清洁的。"顾客一脸认真的模样。"先生，问题就在这里了，并不是烤炉不具备你说的那个功能，而是你没有按照说明书上的去做，不那样做，自动清洁功能是不会被激活的。""原来是这样，那我很抱歉朝您说了这些。""没关系，随时愿意为您效劳。"顾客高高兴兴地走了。

图5-18

问题不一定每次都可以这么迅速简单地解决，但你引导顾客回忆问题发生的经过，会成为你寻找解决方法的最有效手段之一。而顾客，也会乐意帮这个忙，因为他们对参与解决问题是很感兴趣的。这就避免了你在那里为顾客想对策，而顾客因为等待更加愤怒的情况。

⊙ K（know）：决定解决方案

在经历了聆听、发问之后，受理投诉的人员心中已经有了大概的处理方法，但是先提出自己的想法还有欠妥当，应该先问问顾客想怎么解决。

有一部分顾客是带着自己的解决办法来的，如果不问问他的意思，而替他作了决定，可能前面所做的几步、所建立起来的好印象又被破坏了。所以，先问顾客的意见是最恰当的。

"您花了这么多钱买这个提包，我知道您会希望它耐用一些。但是现在破了，您希望怎样解决呢？"店员问道。"我真的很喜欢它的款式——你们有没有其他相似的？如果没有，可以把这个修理好吗？"顾客问道。

这个顾客的想法已经很明确了，他很喜欢他买过的那个款式的提包，他希望有相似的可以替换它，如果实在没有就修好它。如果店员不是问过顾客的意思，他的解决方法不知道会是什么样子。直接问顾客的意思，应该是最快找到解决办法的途径。

但有的顾客并不清楚他想怎么样或者店员可以怎样帮助他，这时，店员就需要有点创意，找出令顾客满意的方法。这时候店员需要考虑的问题就包括：顾客最希望的结果是什么？我都有什么解决方法？哪些是我权利以内的？哪些是需要经过级别比我高的人批准的？综合考虑一下这些问题，然后给这种类型的顾客以解决方法，只要恰当合理，顾客也就不会再纠缠。

"您的意思是怎样呢？"客服人员微笑而婉转地着对顾客说。"我也不是很清楚，我只是觉得这件商品不应该这么快出现问题。""那您看这样吧，我们除了给您免费维修之后，我们还会赠送您一件配套使用的产品。""那好吧，我只希望以后不要再发生这么不愉快的事情了。""我向您保证，我们会尽量减少这类事情的发生，再次为给您带来的麻烦表示歉意。""这也许没什么。"

还有一种情况是不必询问顾客的意见，直接行动就可以了。如果遇到这种情况，再傻傻地问顾客"您想怎样解决呢？"就会被顾客认为是对他的蔑视了。

一家著名的快餐店指导服务员，要向不满意的顾客询问他们想怎样解决问题。不幸的是，一个服务人员死记了这一条。当他把食物从窗中递给车里的顾客时，他没有发觉汽水杯的盖子没盖好，顾客和车子都被淋湿了。他的第一反应就是"很对不起，您想我怎么做呢？"结果顾客被他的话激怒了，大吼道："我想问问你，你想要我让你怎么做呢？"

在这种情况下，服务员的第一反应应该是道歉，第二反应就是直接给出解决的办法，问顾客是希望马上擦干汽水再来一杯呢，还是希望得到一些赔偿诸如干洗衣服和清洗车子的费用，而不要再问"您想要我怎么样呢？"

⊙ S（solve）：解决问题

最后让我们看看，通常顾客投诉的最终解决办法都有哪些。受理投诉的人应该熟知这些办法以及每个办法中的具体步骤，不然在前面所做的各项努力可能又会因为最后这一步而前功尽弃。

退款。如果最后的解决方法是退款，也要得体地把款项退回给顾客，而不要像是在施舍顾客一样，把钱扔给顾客或者带着轻蔑的眼神。如果公司规定要经过公司上一级部门或者财政部门决定后才能给顾客退款，也就是顾客无法立即拿到退款，那么就要向顾客详细解释这个规定，并告诉顾客什么时候可以拿到退款。如果你要把款项退回到顾客的账户，要给顾客看银行账单，以显示你们进行了这步操作，不然顾客会表示怀疑。最后，虽然没做成这笔生意，也要多谢顾客的惠顾，并欢迎他下次光临。

修理或更换货品。顾客看中一件东西以后，即使出现问题，也不会轻易要求退货，所以，当产品出现问题时，他们可能会提出修理或者更换的要求。不过，不要以为货品送去修理或者等待更换货品，问题就已经解决了，应该了解事情是否正在迅速办理。因为某种原因，可能修理的事情被耽误了，或者没人催促就被认为不紧急而慢慢修理，这样只会让事情变得更糟。但如果真的要延误，就要通知顾客，让顾客知道事情的进展，避免再引发不满。如果货品送回顾客那里，那么在送货过后不久就应该打电话过去，询问修理后或者更换后的货品是否让顾客觉得便利了。

提供优惠。除了以上的退款、修理或更换之外，有些商店还会给顾客优惠。比如说送多少元的免费消费、送打折的优惠券、送一些商品等，这种行为也叫补偿鼓励。这种方法可以让顾客觉得他们的损失得到了补偿，所以很受顾客的欢迎。

4. 打破沉默

“会哭的孩子有奶吃”，发出抱怨的顾客、来投诉的顾客，我们都知道要给予重视和妥善处理，可是却很少想到沉默的顾客。基本上我们都认为，沉默的顾客就是满意的顾客。但许多事实证明，沉默的顾客才是最危险的顾客。一家银行在年底时发现，他们的客户数目没变，可客户把钱转走的数目却远远高出预料。很多客户就是这样悄悄地进行转账的。你以为你的顾客不高兴的时候都会告诉你吗？不会的，这就是现实！

要知道：

1 个投诉的顾客背后站着 25 个不满意的顾客，24 个人不满意但不投诉，6 个有严重问题但未发出抱怨声。

沉默的顾客意味着什么？

纽约州北奇利市的树木草坪保养公司的董事长雇用一家咨询公司来承担本公司的首次电话调查任务。这家咨询公司分别给树木草坪保养公司当前客户和那些已取消合同的客户打了调查电话。调查结果非常触目惊心，公司整整有 32％的客户——即2 250名被调查者中有 719 名客户不想再接受公司的服务，但多数没有说明原因。

看到了吗？不出声的顾客并不代表他们满意，更多的是不满意！所以，请重视沉默的顾客，当他们肯再次惠顾的时候，你的机会就来了。

那么如何让沉默的顾客开口，说出他们心中的不满，重新建立对商店的信心呢？

⊙ 重视沉默顾客的心理培养

首先，应该在心里建立一种意识，因为只有在意识形态里引起了重视，才能在行为上表现出来，并且努力表现好。

马里兰州阿什顿市得鲁伯特前景公司在两年一度的客户意见调查中，得到了60%的顾客反馈，这是一个不错的数字，而且这些客户多数给公司很高评价。但剩下的40%的顾客却没任何反应，这引起了公司管理人员的不安。“我们做了最坏的打算，”公司副总裁克瑞斯·戴维特说，“那些客户可能要离我们而去了，但我们要留住他们。我们发出了追踪信，又得到了20%的答复。”公司的一名主管又对剩下的那20%，以及那些给鲁伯特前景公司提出批评意见的客户进行了拜访。当然，让那些不满意的顾客满意，让那些不喜欢参与调查的顾客参与进来，这很花时间，但该公司认为他们得到的回报将是巨大的。

⊙ 建立顾客通讯录

无论你的店是大还是小，都应该建立顾客通讯录，当顾客买了东西之后，就将顾客的信息记录下来。这样做，一方面让顾客有受重视的感觉；另一方面也为商店与顾客保持联系建立了纽带。而它对与沉默的顾客联系更是意义重大。当发现顾客不再来的时候，就可以利用他们留下的联系方式，了解他们不愿意再来的原因。

但是，要注意保管好这些客户资料，不要被有其他目的的人拿去做一些顾客不喜欢的事。一旦顾客感觉受到了这种骚扰，他们会因为不高兴而再不肯到你的店里去。

顾客通讯录样式是多样的，应该根据各自公司的特点设计不同形式的通讯录。比如说一家时装店，它的通讯录可能除了包括顾客姓名、联系方式（电话、住址）、消费记录等这些基本的信息外，还应该记录顾客喜欢的时装是什么样子的，他对时装在不同时期是否有不同的需要。而对于一家搞装修的店铺来说，除了前面几样可以是一样的以外，它的特别之处就应该在于记录顾客喜欢的房间颜色、喜欢的家具类型等。通过这样做，可以在最大限度上了解顾客的需求，同时也为留住顾客打下了基础。

⊙ 了解顾客不来的原因

现在人与人联系的方式有很多，有电话、邮件、信件、传真、短信，等等，这是在提醒商店，你们也可以用这么多的方式去问问你的顾客为什么不再来了。在这里提一提信件，也许它是最费事的通讯方式，但是它同时也成了最受欢迎的通讯方式。人们怀念曾经使用过的信封、信纸，尤其是上面用手写的字，无论是写得好看还是不好看。

有一个曾经很有趣的调查，说许多人在检查邮给自己的信件时，对于那些用电脑打印的信件，常常很容易就丢掉了。但是对于那些用手写的，即使是广告，他们也会很有耐心地看一会儿。当然，如果是朋友亲戚的来信，他们会看得更久。

这就是说，如果邮信件的人肯花点时间用手去写那些信件而不是用电脑打印，也许顾客更愿意与商店探讨自己不来的原因，因为手写的信件让他看到了自己是多么地受重视。

有一个经过多次验证的数据给出了顾客流失的原因以及所占的比例，如果你的商店恰好面临这样的问题，但又不知道从哪些角度去调查流失的原因，不妨参考下表：

表 5-1　失去顾客的各种原因的百分比

失去顾客的原因	百分比
死亡	1%
搬走了	3%
自然地改变了喜好	4%
在朋友的推荐下换了公司	5%
在别处买到更便宜的产品	9%
对产品不满意	10%
与他们打交道的人对他们的需求漠不关心	68%

⊙ 做出反应

了解过顾客不愿意再来的原因之后，就应该采取行动，让顾客重新回到自己的店中。如果只是知道了，却不肯改变，那就跟不知道一样。顾客也会因为自己说出了事情的真相但却看不到改善而更气愤，结果就是彻底不会回来了。但如果顾客看到商店因自己的不满而有所改善，那么对商店的信任就会再一次建立起来，随之而来的，是销售额的增长，有时候甚至是巨大的。

几年前，位于匹兹堡市的芭彻蒂商店的卡瑟瑞·芭彻蒂曾给她的3 000名顾客写信，询问他们为什么不再到她的服装店和鞋店买东西了，其中有290人回了信。这些回信使她迅速行动起来：辞掉了一个服务态度不好的经理，调整了价格。她还用了一年半的时间给顾客回了信。30年来，她收集的客户信息使她的两个小商店共赚了300万美元。“要是你不利用你收集来的信息，还不如根本就别去收集。”芭彻蒂说到。公司最近有一次活动，给前5 000名消费大户寄去邮购资料，结果有181名消费者作出反应，在一周内购买了价值9万美元的商品，公司这周的总销售量比上一年同期提高了96%。

位于伊利诺伊州那珀维尔的Zano's美发厅的老板冉·普罗文萨诺每天都把已经4个月没有光顾过美发厅的客户名单写下来，让员工们和他们联系并约好时间。美发厅把不满意的顾客再请回来，给他们剪一个让他们满意的发型，并送给他们优惠券，鼓励他们下次再来。普罗文萨诺说：“如果顾客知道你在意他们并愿意倾听他们的意见，他们多半会给你第二次机会。如果你能让客户再一次光临的话，他们就永远是你的回头客了。”即使客户没有再来，彼此之间的联系也是有必要的。普罗文萨诺利用打电话可以发现为什么客户不来了，他们去了哪家美发厅。他说：“打电话有时候也会碰到不愉快的事情，但这是一个机会，可以了解竞争对手的情况。发现差距后，我们学会了怎么更好地满足现有顾客的需求。”

法则6

瞬间感受

SHUNJIAN GANSHOU

- 一副好的外在形象
- 顾客想要什么样的服务

1981年，北欧航空公司（SAS）的业绩严重下滑，当年的亏损额高达800万美元，公司濒临破产境地。这时，卡尔松临危受命出任公司总裁，在一年的时间里，他神奇地让SAS起死回生，由亏损变成盈利上千万美元。

秘诀在哪里？

原来，他一上任就告诉员工一个这样的事实：SAS一年中共运载1 000万名乘客，平均每位乘客要接触5名员工，每次15秒钟。换句话，这1 000万名乘客，每个人在一年中都对SAS“产生”了5次印象，每次15秒，总共5 000万次。这5 000万次的“瞬间感受（Moments of Truth)”，决定了SAS的成败。所以每个员工都有责任让这1 000万乘客每次都从公司获得正面的瞬间感受，而非负面的。至此，公司上下人人遵循这条原则，于是出现了一年之后的让同行跌破眼镜的盈利局面。

1. 一副好的外在形象

在与顾客的接触中，店员的形象是顾客感受颇深的一个方面，所以，它将成为让顾客建立正面的瞬间感受的一个重要方面。

⊙ 该怎么穿

在店铺里，顾客第一眼看到的人多数是店员，所以店员穿得怎样，立即会给到顾客一种感受。相信当看到店员穿着统一的、和店铺经营性质相符合的服装时，顾客的感觉会很好；相反，店员的形象邋遢、随便，顾客对商店的感觉就不可能好。所以，店员如何穿着，将成为顾客的“第一印象”，也就是顾客的第一个感受点。

有些商场会给员工设计统一的服饰，这样做很好，因为统一的样式总是给人一种秩序感、舒心感。

不过，不要以为有了统一的服装，就不会出问题了。我们可以看到，在某些商场里，有的店员的工作服并不合身，那些制服在胖一点的人身上显得皱皱巴巴、紧紧张张，而在瘦一点的人身上又显得无比肥硕、无精打采。这些，看在顾客眼里同样是不协调的，要知道，顾客的视觉享受同他们的购买可是有关系的。另外，很多工作服的质地都不怎么样，当然这是商场出于成本的考虑，所以，看到它们不挺刮并且出现褶皱，甚至掉着线头也就不足为奇了。而店员们多半也是不肯从本来就不高的工资中拿出钱去做什么熨烫、保养的。那么，为了保证商店的良好形象，管理者们应该考虑一些解决的办法，比如说由公司统一熨烫员工的制服，这样至少能得到三方面的收获：顾客因此不再产生视觉上的不舒服，店员因公司关注他们的形象而更注意保持自身的良好形象，公司因提高了服务质量而增加了收入。这点投入和所获得的好处相比实在很值得。不过，不管公司提供不提供这项福利，有一些工作是店员自己必须做到的，比如保证制服的干净、没有损坏的地方等，在这方面，如果店员能够自觉做到是最好的，如果做不到，公司就应该进行制度约束。

除了提供统一制服的店铺外，还有相当一部分店铺没有统一的制服，但这不代表就应该放任店员随便穿着。

现在最常见的一种穿法是穿店里的衣服，很多面向年轻人开设的服饰店都采用了这种做法。店里的负责人会让店员们穿上店里的某一款衣服，通过这种方式给顾客一种统一的感觉。这种做法不错，许多顾客也喜欢这种做法。穿在店员身上同穿在塑料模特身上效果是不同的，一方面顾客可直接通过观察店员的试穿效果来感受这些衣服，另一方面这也是展示店里商品的一种绝好的方式。

剩下的一种就是店里不提供工作时穿的衣服，穿什么完全由店员自己决定。假使你（店员）所在的店正好属于这种类型，那你也不要以为在工作中穿什么样的衣服是可以随意的，你应该明白以下这些在自行选择工作装时的要求。

图6-1

你选择的服饰应该和你店里售卖的商品的风格保持一致。比如说你是卖时尚服饰的，那你也应该穿得时尚一点，不然顾客会觉得你在这方面并不专业；如果你是卖儿童用品的，那么不妨穿得可爱一点，跟着妈妈们来的宝宝也许因此而喜欢你，并向他们的妈妈“强行要求”你的商品，而妈妈们也许也会掉进你的“温柔陷阱”里；如果你卖的东西在卫生上有很严格的要求，那么能体现你衣服的洁净就是最重要的，必要时还要戴口罩。与自己店里商品的风格相似，不仅顾客看着顺眼，销售业绩也会跟着上涨。

接下来要记住的是不能打扮得比顾客漂亮。比美的现象不光存在人类世界里，在比我们低级的动物世界里也会存在，可以说这是自然现象。这点在服饰店里最明显，店员可能因为没有要求而自己选择各式的衣服，所以，顾客很容易看到服饰店里花枝招展的店员。当顾客看到比自己漂亮的店员时会怎样？多数人的心里会不舒服，购物中挑刺的心理就会加重，多数时候是不开心地离去。日本的饭店就明文规定他们的店员不能打扮得比顾客还漂亮。

总之，如果实在不知道怎么穿的话，保守一点的服装可能是引起争议最小的类型。

店员穿什么样的衣服可能是第一眼落入顾客眼中的部分，但是其他地方的搭配、装饰也会在与顾客的接触中不断落入顾客的眼中，而这些做得是不是到位，对于让顾客瞬间建立好感或者厌恶的感觉同样是至关重要的。

发型。除了在一些需要展现店员发型的店铺外（理发店），其他店铺里的店员都应该注意自己的发型。在一般的店铺里，顾客会对怪异、前卫的发型“感冒”，同时对于脏乱的头发更是厌恶。这些情况，都只会令顾客对店铺的印象减分。店员应该以一种让顾客看着很顺眼的形象出现在顾客面前，这样，顾客在店里购物才是称心的。

首饰。这点对男店员来说，可能不是很突出，但是女性店员就普遍存在这个问题。佩戴饰物这种心理应该是容易被理解的，“爱美之心，人皆有之”，但是，作为店员这种服务性质的角色来说，就要掌握好分寸了。有的店里会严禁店员佩戴任何饰物，有的要求则不是很严格。对于要求不严格的店铺来说，如何佩戴饰物也应该有一个标准：不应该戴非常耀眼的饰物，这会分散顾客的注意力；不应该戴非常贵重的饰物，这让顾客看着心里不舒服；不应该戴“丁当”作响的饰物，顾客会讨厌那种干扰他购物的声音；不应戴数量过多的饰物，像有的人会戴那种由一串镯子组合在一起的饰物；还有就是不应该戴样式怪异的饰物，有的饰物选择了骷髅、鬼怪等吓人的形状，如果因此吓到顾客，并且不敢再来的话，店里的损失就大了。

鞋子。一般的店铺会要求店员穿深色的、保守一点的鞋子，许多写字楼里也规定员工穿这样的鞋子，可见这种要求已经得到了大多数人的认可。但是在一些店铺里，仍会看到店员们穿着各式各样的鞋子，并在指甲上涂上鲜艳的指甲油，这让顾客看起来很不舒服，因为这总是给人不好的想象。既然是为顾客服务，就应该按照顾客期望的去做，让顾客看起来不舒服，就是在跟自己的店铺过不去，以及跟销售额过不去。

⊙ 如何化妆

化妆，你可能认为这和店员没什么关系，但是，实际情况并不是这样。很多专业的公司都会要求公司里的女职员化淡妆，因为这些女职员的形象也是公司对外的一扇窗口。在日本，化妆还被视作是一种对他人的尊重：服务人员化妆，是为了尊重顾客；听音乐会的人化妆，是为了尊重演员；出席朋友的聚会化妆，是为了尊重朋友；等等。从这两件事上来看，店员化妆就有两方面的意义了，在让顾客看得赏心悦目的同时，还体现了尊重顾客的意义。所以，店员化妆也是让顾客建立正面的瞬间感受的内容之一。

化妆，通常会被分为化淡妆和化浓妆两种类型，它们分别适合于不同的场合。那么对于店铺里的店员来说，适合化什么样的妆呢？

对于女性店员来说，适合化一些淡妆，既可以修饰脸上的缺陷，如雀斑、胎记、脸色差等，又可以使自己显得更有精神，这样不光顾客看着顺眼，自己也会觉得很舒服。而对于脸上没有什么缺陷的店员，如果能通过化淡妆让自己看起来更迷人、优雅，这也将是一个吸引顾客的好办法。但是，在化妆上要注意一个度的问题，不要把化妆、补妆变成了主要工作。这种情况并不少见，在一些商场里，顾客会看到许多店员都是很美丽的，但是，他们也同样发现了为保持美丽而躲在洗手间里不停补妆的店员，她们甚至长时间占用洗手池和镜子，影响了顾客对这些设施的使用。当顾客在店里逛的时候，看到美丽的店员，他们会很开心，但是他们并不喜欢躲在洗手间里补妆的店员，这让他们觉得店员的心并不在为顾客服务上。还有的店员并不避开顾客，而是直接在店里补妆，甚至还旁若无人地和同事讨论自己的妆容。看到这种情景，大多数顾客都会不舒服，也不会有什么心情好好选购商品，或者根本就不愿意多停留一分钟，因为这种情况同样让顾客觉得店员的心并不在为他们服务上。

图 6-2

至于化浓妆，基本上没有店铺会让自己的店员这样。浓妆只适合一些特殊的场合，比如说时装秀、化妆品展示会等，如果用在平时，会让人觉得有点恐怖，顾客们也不愿意接受这样店员。即使是和化妆品关系密切的化妆品店或美容院，也不应该让店员化太浓的妆，毕竟大多数顾客追求的还是顺眼的美丽，而不是恐怖的惊艳。

不过也有的商店会根据自己经营的特色而在化妆上有与众不同的表现。如一些面向青少年的商店，为了体现自己的时尚与潮流感，让女性店员化彩妆并在脸上贴上彩色的贴纸，或是涂上闪闪发光的金粉。这让她们看起来青春焕发、活力无穷，年轻顾客们也会被其吸引，反应很好。当然，这样的化妆方式适合年轻一点的店员，如果一个不太年轻的店员也来这一套，恐怕就起到相反的效果了。

⊙ 麦当劳的菜单——微笑：免费

在麦当劳餐厅的菜单上，除了汉堡包、麦香鱼、炸薯条、奶昔和饮料的价格外，还应格外加上一个项目——微笑：免费。在任何一家麦当劳，顾客都可以看到服务人员真诚、愉快的笑脸，服务人员的笑容，让顾客深觉麦当劳不仅只是一家快餐店，更是一个撒播欢乐、爱、真诚的地方。所以，越来越多的人喜欢麦当劳，并把它当成生活中重要的一部分。

有一首名为《微笑》的诗这样写道：微笑不花费一分钱，但却能给你带来巨大好处／微笑会使对方富有，但不会使你变穷／它只是瞬间，但它留给人的记忆却是永远／没有微笑，你就不会这样富有和强大／有了微笑，你就会富而不贫／微笑能给家庭带来幸福／能给生意带来好运，给你带来友谊／它会使疲倦者感到愉悦／使失意者感到欢快／使悲哀者感到温暖／它是疾病的最好药方／微笑买不着、讨不来、借不到、偷不走／微笑是无价之宝／有人过于劳累，发不出微笑／把你的微笑献给他们，那正是他们的需要。

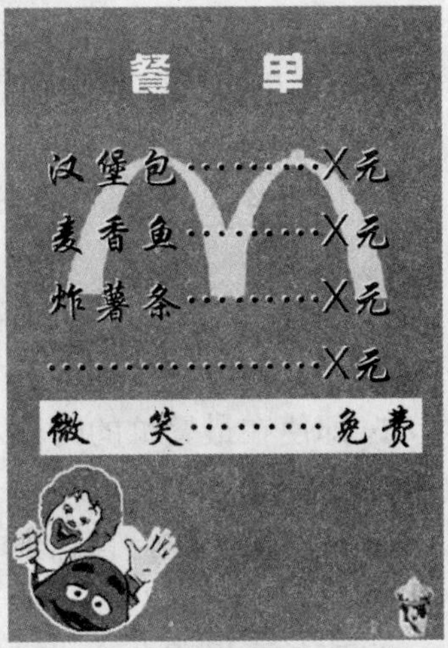

图6-3

山姆·沃尔顿最初在新港所开的那家属于本·富兰克林百货连锁店的小店开业时，全城人早已习惯到当地仅有的一家大商场购买东西，这里的4 000名居民从没光顾过其他商店。顾客们只是瞧了几眼简单的开业仪式，就习惯性地去了那家唯一的大商场——这是个不好的开端。山姆当时明白，需要微笑。他亲自到门口欢迎顾客，同他们打招呼、聊天，好像是为了他们才开了这家小店。他可以同每个人天南海北地聊上几个小时，可以不知疲惫地谈论自己的儿子，儿子当时才1岁多，山姆已经梦想他成为自己的接班人，结果小店生意搞得红红火火。后来，山姆还将他的微笑心得发展成一句“名言”：请对顾客露出你的八颗牙。因为他发现，只有微笑到露出八颗牙的程度，才称得上是合格的“微笑服务”。现在，这句“名言”已经被很多公司拿去训练他们的服务人员了。

从麦当劳到《微笑》这首诗再到沃尔玛，我们有理由相信，微笑服务绝对可以让顾客树立正面的瞬间感受。

尽管所有的人都承认这一点，包括店员自己，但是顾客还是在许多地方感受不到店员的这种微笑服务，或者说错过了感受的时机（在上午，店员的态度一般都会很好，可能跟早上起来精神比较好有关系，下午就会减弱，离下班时间越近，态度可能就越差）。

经过总结，发现店员不喜欢微笑或者不能始终坚持微笑的原因主要有两个：一个是认为微笑服务是没有必要的——顾客是来买东西的，又不是来买微笑的；另一个是长时间的工作使得店员身体变得疲劳，无法维持一整天的微笑。相信抱着第一种心态的店员和老板现在已经很少了，而第二种状况才是让今天的老板和店员头疼的主要原因，因为这已经不是心态的问题了，而是实实在在的身体疲劳导致的。那么有什么好的办法能解决这个问题，不让顾客在店员身体疲劳的时候产生负面的瞬间感受？

麦当劳经过实践和研究，总结出一套使服务人员保持微笑的秘诀和方法：

✣ 让服务人员经常进行快乐的回忆，并努力将自己的工作维持在最愉快的状态；

✣ 在工作一天后尽量保证充足的睡眠；

✣ 店长要以身作则"笑容满面"来影响其他服务人员；

✣ 即使在最繁忙的时段，服务人员也要尽量使自己放松，因为这样才能使微笑看起来轻松自在；

✣ 长时间工作，当感到非常疲劳时可以抽空去趟洗手间，放松自己，保持微笑；

✣ 店长要提醒自己"我的笑容对全体服务人员能否快乐地工作起到决定作用"，以此督促自己总是"笑容满面"；

✣ 微笑练习过关的员工将获得一枚"微笑胸章"；

✣ 在微笑比赛中获得优胜的餐厅才能把"微笑：免费"的字样写在店堂的菜单上；

…………

麦当劳正是通过这些有趣的方式使得服务人员保持了愉快的笑容，也让顾客深受感染而乐在其中。麦当劳的做法值得其他的经营者们学习，只有练就了店员自然的微笑，才能保证他们对顾客始终流露笑容。

但微笑都能促成顾客正面的瞬间感受吗？不一定，在有些场合里，就不适合再保持微笑了，也就是说，在某些场合里，需要用严肃一点的神情代替微笑。

某酒店的预订系统出现错误，结果一个来自西欧的旅游团深夜到来的时候，被告知客满，只好安排在大厅临时加铺。全团人员顿时哗然，甚至扬言要查每一个房间，看看是否真的无房。这时，西装革履、风度翩翩的客房部经理出现在他们面前，该经理脸上露出微笑，结果被客人理解为“矜持的微笑”。面对客人连珠炮似的责问，他又微笑地耸耸肩膀，表示爱莫能助——因为是电脑系统出的问题。这一笑就坏了，客人本来就满肚子气，又认为客房经理这时的笑是“尖刻的讥笑”，是对他们的漠视，这批西欧旅客竟愤怒地拍着桌子大吼：“你再这样笑，我们就揍你。”

英国一家银行也发生过类似的事，他们为了改进服务，想出了一个办法，就是在每个出纳员的柜台后面的上方贴一张快乐面孔的画，下面写着“切记对客户微笑”。尽管这是一个很好的想法，但是他们还是招来了客户的不满，因为当他们通知客户透支了5 000美元（甚至更多）时，他们的脸上还带着傻乎乎的笑容，客户认为这是在“嘲笑”“鄙视”他们。

可见，微笑并不会总能促成正面的瞬间感受，在一些特定事件面前我们就不能还是一味微笑了，但它在大多数时候可以促成正面的瞬间感受却是一定的。

2. 顾客想要什么样的服务

让顾客有良好的感觉，不光是形象方面，商店及店员如何处理和顾客之间发生的事情将是更重要的一个方面，下面，我们就讲讲，如何在发生事情时让顾客同样有好的感觉，而不是坏的感觉。

⊙ 别用高音对待顾客

周末逛街，常会听到某个店铺传来的震耳欲聋的音乐声，进去感受一下，好像连地面都在跟着颤动，据说这种方式可以吸引顾客和带动顾客快速消费。但是，因为音乐声很大，导致店员在为顾客服务的时候也不自觉地提高了声音，常常是喊着回应顾客。

越是在大城市，人们日常生活中接触的噪音就越多，耳朵里几乎整日不得清闲。即使在家里，也可能面临着邻居的装修、隔壁的卡拉 OK 声、不远处建楼的轰鸣声等，现在有不少疾病就

图6-4

是由这些噪音导致的，人们在心里渴望着宁静。所以，在人们希望通过购物来放松自己的时候，是不是应该考虑到人们的这种心理，给人们制造一个安静的环境呢？

在某个知名品牌服装店的门口，传出来很响的音乐，两名女性顾客走了进去，里面的声音更大。这两名顾客在离门口不远的地方摸了几件衣服，然后就出来了。一个对另一个说："好吵，真受不了！还是找个安静一点的地方。"然后她们又走进不远处的另一家店，那家店里放着不是很响的音乐，她们在里面呆了很久。

如果确实想利用音乐来吸引顾客，那么也要掌握好尺度，不要使音乐变成让人心烦的噪音，唯恐避之不及，更不可影响到顾客同店员的交流。在音乐的选择上也要注意，应该选择一些有名气的乐团或动听的乐曲，好的音乐能给人愉悦的感觉。

⊙ 变脸游戏

只要对川剧有一点了解的人，对其中的"变脸"绝技就都不会陌生，只在瞬间，演员就可以变换一个脸谱，一会儿一变，让观众看得目瞪口呆。但这种变脸绝活现在已经不是川剧表演者的专利了，在其他人身上也可以看到这种"绝技"。

这是一个人在网上的留言，讲述了他经历的一次变脸游戏。

"我在网络上看到××化妆品店有新的粉妆条出售，觉得很美，有意购买。于是找了一个周末过去，一位皮肤很糟，满脸痣，年纪有点大的小姐为我服务。一开始态度都还不错，我问：适合我的肤质吗？我适合什么颜色？有折扣吗？只有三个问题，前后耽误她不超过5分钟。后来我说，ok，谢谢，我明白了，我想再考虑考虑。那位小姐的脸竟180度地大转变，'刷'地一下拉了下来，整个脸色全变了，变得超冷漠，转头就走。亏我还跟她说'谢谢'，她连响应我都没有，径自收她的东西。真的很夸张，本来想投诉她，我朋友也是专柜小姐，叫我不要，说她很可怜，所以我就放过了她。所以奉劝想买的人们问过了就一定要买，不然小姐的脸色会比川剧变脸还厉害。"

这位朋友说的并不夸张，有些店员在向顾客热心推荐之后，如果顾客说不合适或者暂时不想买，那么这些店员立即会给顾客脸色看，并把顾客看过的东西弄得"砰砰"作响。对于这样的店，即使顾客一时忍气吞声地买了东西，那么以后也别指望他还会再次光临。而且顾客还会口耳相传，顾客对自己经历过的优秀服务也许不会放在心上，但是一次糟糕的服务却可以让他们记住很久，并不停地告诉身边的人。

再来看看另外一家店是怎么做的。

一位女性顾客逛商场的时候，觉得一条米色的休闲裤很漂亮，于是提出试穿。效果也不错，但是她当时并没想买，于是就找了个借口推了。店员很有礼貌地说："没关系，等您需要的时候再来看看。"这名顾客离开了这个商场。过了不久，天气转凉，这名顾客想买一条长裤。她立刻想到那个店和那个店员，于是再次光临了该店。尽管再次试穿的效果没有上次好，但是店员热情的服务态度还是让她决定买上一件。在结账的时候，她问起上次为她服务的店员是不是走了，店员告诉她说那是公司总部的人，等店里忙的时候，他们会走出办公室来帮忙的。这名顾客因此建立了对这家店的信心，打算以后再有需要的时候也会先到这里来看看的。

在日本的百货公司，不管顾客进门或出门，不管买不买东西，店员都会来个 90 度的鞠躬，并真心诚意地说："谢谢您的光临，本店如有服务不周之处，敬请多加批评指教。"其态度诚恳、自然，给人留下了深刻的印象。这是因为他们深知，公司的利润及他们自己的薪水待遇，全都来自这些顾客，所以才会有这种发自内心的恭敬感激之心与诚挚感人的待客之道。

图6-5

对比前后两种服务方式，一种是先好后坏，一种是先好然后更好，那么给顾客的感觉分别是什么呢？先好后坏，顾客会觉得，原来店员是在想方设法地掏他们的腰包，而不是为他们推荐真正适合的商品，那么顾客在经过了这样一个转折之后，不满的感觉会格外强烈。而先好然后更好呢，顾客开始的时候也许没有太多感觉，但是在最后自己提出不想买，也就是白白浪费了店员很多的时间的情况下，店员居然还能保持礼貌的态度，告诉顾客欢迎他的下次光临，顾客在感叹店员的优质服务的同时也会产生一种"负罪"心理，那么，顾客再次光临就是必然的了，同时顾客也将对这样的店产生永久的信赖感。不要小瞧了制造顾客"负罪"心理，只要能让顾客一直保持这种心理，那么一笔一笔的生意就会随之而来。事实上，这种服务方式才是在当今激烈竞争的市场环境中能够始终不被打败，并在销售上有持续增长的秘诀。

所以，保持前后如一的态度，也是建立顾客正面瞬间感受的要求之一，并且这种感受会令顾客印象深刻。

⊙ 这样做是在打扰顾客

“打扰”是一个不让人喜欢的词，因为如果有人打扰了自己就意味着自己会很不舒服，所以那些会打扰别人的行为都是让人讨厌的。而事实上，在购物中我们的店员经常会在无意识中就“打扰”了顾客。

一步一跟。以前的商店倒不存在这个问题，因为顾客要的东西都在柜台里面的货架上，想看的话必须由店员来拿。现在的商铺则基本上都实行了开架销售，这也是为了让顾客更自由地挑选商品。但是顾客是否真正地享受到了自由？相信凡是购过物的人都会有这种经历——店员总是跟在身后，几乎是走一步跟一步，这让顾客很不舒服。即使其目的是为了能随时为顾客服务，顾客也不想享受这种贴身服务，更何况有些店员的目的是为了防止偷盗。

图 6-6

既然开架式销售是为了让顾客更自由地挑选商品，那就别让店员紧跟其后，这种跟随式服务要比闭架销售更难以接受。其实，如果顾客有需要，他们自然会招呼店员的，只要这个时候店员迅速地走到顾客身边就可以了。当然，这就给店员提出了更高的要求，因为他们必须要以用心注意顾客的反应来代替跟随顾客，这样才能在顾客有需要的时候立刻提供帮助。

跟在顾客身后整理顾客碰过的东西。这种情况和一步一跟都是顾客最不喜欢的店员行为，而且它发生的比率也不在少数。一个朋友讲述了她的一次经历。当时她去一家女装店看衣服，当她把看过的一件衣服放回原处时，旁边的店员马上重新拿出这件衣服，然后又放回去。朋友看了看，原来是衣架的挂钩方向和原来反了。尽管也许可以算是自己的错，但是这种感受令朋友很不开心，于是，她就围着店里走了一圈，在走的过程中不停地拿起衣服，然后又放下，直至走到门口的位置，顺势就走了出去。事后，朋友说：“她们店里的衣服再好，我也不会买，我还要让她们不停歇地整理衣服，她们不是喜欢这么做吗？”看来，那个店的店员被这位朋友要了一通。很多人可能都不会这么捉弄店员，但不代表他们就能接受这种做法。

店员整理顾客弄乱的商品是他们的工作之一，但是不应该跟着顾客整理商品，顾客刚放下一件商品，店员就立即整理它，顾客会很迷惑店员这么做的意图："是在责备我弄乱了他的货架吗?""我很脏吗？我弄脏了他的商品吗?"有的顾客就开始追究起店员这样做的理由来，并在自己身上找原因。而有的顾客就会直接产生"这个店的服务态度真差"的想法来。事实上，这根本就算不上是顾客的错，顾客来到商店，就是为了挑选他想要的商品，商店没有理由要求顾客一定要把商品放回原位，而且要放得和以前一样；况且整理顾客弄乱的货架，也是店员工作中的一项内容，怎么能把这种工作责任搞成像是顾客的责任呢？这就难怪顾客会不高兴了。所以，请别在顾客还没离开你的店铺时就整理货架，顾客看到这样的情景是不会满意的。整理工作请留到顾客走出商店之后再进行吧。

顾客碰一件东西就告诉他一次价格。许多店里还存在这样的状况，当顾客拿起一件商品的时候，店员就立即告诉他这件商品的价格。店员的理由很简单，应该告诉顾客每件商品的价格，但是实际情况是顾客并不需要这种"贴身"服务。顾客多数不会理解店员的良苦用心，他们的想法是"是不是以为我买不起啊?""是不是想让我买很多东西啊?""是不是怕我偷东西啊？总用声音提醒我?""怕我弄坏东西啊?"总之，顾客能因此想到的都不是什么好的想法。店员的出发点是好的：让顾客对商品有更多的了解，以便买到更适合他们的东西。但是顾客并不领情，因为这样的服务方式只能让他们朝坏的方向想。如果店铺站在顾客的立场想这个问题，就能理解顾客的这种心理了。

一般来说，商店都会给商品贴好标价，顾客也已经习惯了在商品上找价格，只有当顾客在商品上或者附近的地方找不到价格的时候，他们才觉得有找店员询问的必要。所以，请有这些习惯的店铺不要再这样做了，如果把精力放到其他为顾客提供更好服务的方面，岂不皆大欢喜?

当顾客遇到上面的几种情况时，他们的心情就会很差，因为这些都是让他们反感的行为，他们不喜欢这样。有人曾提出，当顾客不需要服务的时候，就让他们"像鱼儿一样游来游去"，意思就是要给还没有什么购买意向的顾客以足够的时间和空间。等到他们有需要的时候，他们不会只一个人在那里琢磨的，他们自然会找店员帮忙，只要这个时候店员的服务是让他们满意的，那么购买也就是水到渠成的事情了。

记住，不打扰顾客，这是让顾客满意购物的前提。

⊙ 一眼高一眼低行不通

把顾客的穿着打扮作为判断顾客的标准，这种思想和行为从古到今都有。也许这种想法有一定的道理，但在今天的商业社会中，这种方式对商店来说只能是弊大于利。今天的顾客越来越重视自身的感受，如果他在一家店里感受到的是这样的气氛，他会毫不犹豫地离开。而且，有钱的顾客不一定都喜欢把财富表现出来，他们也可以打扮得很普通。

来看看沃尔玛创始人山姆·沃尔顿——一个世界大富豪是怎样的一个人吧：新闻媒介把山姆描绘成一个寒酸的、古怪的土财主，一个与狗睡在一起的乡下佬，尽管山洞中藏着数十亿美元钱财。他的“坐骑”是一辆破旧的小吨位运货卡车，车后关着捕鸟犬的狗笼子；他会戴着沃尔玛商店出售的廉价棒球帽；他一直居住在那个让他发家致富的小镇上；他总是在街边的理发店里理发，并且给他理发的老头总是抱怨他从不给小费……

图 6-7

这里是一个保险员的经历。一次他拜访一座老式居民楼里的一户陌生人家，是年纪轻轻的两夫妻。当他提到自己的意图时，夫妻两人很好地招待了他。并表示感兴趣。保险员打量了一下屋里的陈设，就设计了一个比较便宜的保障计划给他们，但是这对年轻夫妇对更好的保障计划显示了兴趣，最后，两夫妻中女的买的是每年3 000多、缴 20 年的一套保险，男的买的是5 000多也是缴费 20 年的一套保险，最后，这个保险员当然是兴高采烈地离开了。

还有一件发生在某个专卖店中的一幕：一个中年妇女走进一个服装专卖店，因为她打扮普通，店员并没怎么理会她。后来，她看到一套非常漂亮的套装，便询问价格。店员说：“4 000元。”店员没有看到她眼中惊讶的神情，而是听到她随口说了一句“给我拿一套，包装一下，送朋友”，店员立即热情地服务起来。

现在的顾客已经趋向于“平民化”的打扮了，因为这让他们在紧张、繁忙的工作之余能得到一种放松。另外，有些人也会把自己有钱的一面隐藏起来，因为他们觉得这并不是什么值得夸耀的。所以，当这些人和那些真的没什么钱的人混在一起的时候，恐怕就让店员们看不清楚了。如果再拿“以貌取人”来衡量顾客，吃亏的很可能是自己。

佐川清是日本战后成长起来的货运大王，他创立的“佐川捷运”是日本赫赫有名的大公司，而他在创业之初就深深懂得，要想得到客户的信任，只有凭自己的一片诚意。他成立公司之后接到的第一笔生意打开了他真诚为客的先河。第一笔生意是要从东京运往大阪的小包裹。由于航程短，物件小，公司接下这笔生意必然赔钱。但他明知道要亏本，还是接下了这笔生意。就是因为这笔小生意，成功地打响了“佐川捷运”的名号，建立了口碑。因为递运小包裹虽然事小，却代表了“佐川捷运”的工作态度，它说明公司不会因为生意规模的大小而对顾客有所歧视。

很多购物很大方的顾客，其实并不在意店员们的服务，多热情他们都不会有太大感觉，因为他们觉得这是他们花很多钱买东西时应得的，而且他们的购买具有很大的随意性，可能他在某个店里消费过几百元之后就再也不去了。但是普通的顾客不同，他们对受到店员热情的服务有一种渴求，所以，如果他们能受到同样热情的服务，他们就会很喜欢这家店，尽管他们一次不会买很多东西，但是他们因为受到了礼遇就会一直不停地来买东西，最后总计的销售额是很惊人的。有一个对这方面有过研究的调查报告显示：如果能诚恳对待只花 1 元钱的顾客，他必将会成为你永久的顾客，不断为你引进大笔生意。

尽管我们在前面用现代顾客的特点来阐述“以貌取人”的标准不再适用，但是我们还是提倡根本就不应该用这种方式对待顾客，无论怎样的顾客，都应该用一样的态度去服务，这才是服务的根本。

当所有的顾客都能享受到优质的服务时，店铺才能赢得最多的正面的瞬间感受。

⊙ 人们为什么有两只耳朵，却只有一张嘴巴

在销售中，常常有需要店员聆听的时候，比如说顾客描述他想要的商品是什么样的，他对某件商品的评价，他有什么不满意的地方等，这时候如果店员没有表现出最佳的聆听状态，顾客马上就会觉察到，并产生负面的瞬间感受。这就像一个演讲的人在面对台下的听众一样，如果他看到听众在窃窃私语、随意走动、吃零食什么的，他的演讲情绪马上会降下来。

有人对人为什么长了两个耳朵，却只长了一张嘴巴进行了思考。他没有从生理学的角度思考，最后得出这样一个结论：人天生有两个耳朵，却只有一张

嘴巴，也许就是为了告诉我们，在生活中，听比说更重要。许多成功的销售人员也都认为“没有什么比聆听更重要的了”。

伊利诺伊州奥克帕克市美国风味烤饼公司的总经理杰夫·霍普梅尔说道：“过去我总喜欢只说自己的想法，却不在意客户们是怎么想的，可大公司要让你首先听他们的。”这家公司一年售出价值 590 万美元的烤饼。在最初的时候，他越是使劲向大公司推销他们的产品，就越是欲速则不达。“有一家公司花 18.7 万美元对我们公司进行了专题调查之后，决定出售我们公司的烤饼。”他说，“这真让我吃惊又兴奋。”用他的话说，“如果我没有意识到认真倾听可以促进公司销售的话，恐怕就无法赢得这项订货了。”

但是，听顾客说话，并不是只要竖起两只耳朵，管好嘴巴这么简单。聆听，是一门学问，但不是难以掌握的。

表现出兴趣。如果在顾客说话的过程中，听的人心不在焉，或者是有别的小动作，那么，顾客看到这些的时候，他说话的兴趣肯定就没了，然后会终止谈话。如果顾客是在商店里，那么他会选择离开，如果顾客是在自己的办公室里，那么他会要求销售人员离开。因为他感受到这家店或这个公司并不需要他的惠顾，不然为什么对他如此漠视？

哈里约了他的客户约翰谈一笔生意，于是在约定的时间里，他出现在约翰的办公室里。彼此打过招呼之后，约翰谈起了他对哈里公司提供的商品的建议，虽然他还没决定是否要购买哈里公司的商品，但是在所有的竞争对手里哈里提供的商品优势很大，不过这并不代表哈里的商品就完全符合他公司的需要。于是，他就哈里公司的产品离自己的要求的差距谈了起来。但是哈里并未意识到这一点，他一会看看窗外的风景，一会又被树上清脆的鸟叫声吸引。过了一会，约翰的女秘书进来送咖啡，他的目光又一直追随她到出去。约翰看到这一切，很生气，对哈里说：“哈里，你这种很不在意听我说话的态度，让我觉得很诧异，我觉得自己受到了不应该的忽视，我的自尊心受到了打击，尽管我对你们的商品比较满意，但是签合同的事还是再等等吧。”哈里很吃惊，他没想到自己的不专注让客户如此生气，这时他才明白，专注的聆听对他的工作是多么的重要。

什么样的表现是有兴趣的聆听的特征？应该这样：面带微笑，伴随身体动作如点头，有回应声如“哦”，没有小动作如玩手，等等。

打断顾客。无兴趣地听是让顾客恼火的一种表现，打断则是另一种让顾客恼火的表现。顾客在发表自己意见的时候情绪往往是高涨的，而突然的打断会让他们觉得很扫兴，兴趣随之减少。若有多次打断，顾客恐怕就再难以保持好的心情了。所以，不要随便打断顾客的话，即使想发表自己的高见，也要先克制一下，等顾客说完了自己再说。

一位女性顾客出现在某个超市里，她想买一个蒸汽熨斗，但是不想买很贵的，她并不需那么多功能。她在卖熨斗的柜台前徘徊了一会，一个店员走过来，问了句："想买蒸汽熨斗吗?"顾客说："是。""那您想买个什么样的呢?""我不需要有很多功能的……""啊，我们这儿的熨斗多少种功能的都有，有两种的，有三种的，还有很多种的。""我不想买很贵的……""啊，多少钱的都有，有三四十的，也有一百多的。""我还是再看看吧。"说完，顾客走了。

分析顾客话中的含义。有些顾客说话直来直去，不需要店员做过多的揣摩；但是有些顾客就是喜欢绕弯，让店员很难明白他们的意思，而且这样的顾客还为数不少。一方面，绕弯让他们觉得有趣；另一方面，在绕弯的话里其实隐藏着他们某些没说出来的需求。所以，当遇到绕弯的顾客时，要注意分析他们隐藏的需要。在这里，有一个识别他们隐藏需要的小技巧。人类的全部信息表达中由文字表达的只有 7%，语调表达的为 38%，而非语言行为却能表达 55%。这项研究表明，在沟通过程中有 93%的信息是通过非语言行为来传递的。可见，在日常沟通中，非语言行为是最具影响力的要素。了解到这一点，再结合我们民族含蓄、内敛的性格特质，店员在倾听顾客谈话时更要注重对非语言信息的观察和解读。特别是，当发现顾客的身体语言或语调表达出来的信息与他的言语不相符时，要以前者为准。因为身体语言是人的本能的表达，能最直接地反映出一个人的真实意图。相对来说，言语更容易误导，让人产生误读。

证实理解。无论是遇上了直肠子的顾客，还是喜欢绕弯子的顾客，店员在听完顾客的话后都要进行证实、理解，以确保自己理解的和顾客说的意思是一致的。因为受到很多因素的影响，店员的理解和顾客的原意可能会有偏差，如果不进行这一步，则这种偏差会影响顾客的购买和对商店的评价。

请看图 6-8 这幅漫画，这幅漫画表现了一个人错把人家的晾衣架当成了终点。为什么会出现这种结果？很显然，是这个人理解错了终点的位置，以为只要有两根棍中间拉一条线的就是终点。但在实际工作中，理解错误的结果可不会这么幽

图6-8

默，根据“情节”的轻重，顾客会掉头走掉或者大发雷霆。

⊙ 当顾客抱怨时

让顾客建立正面的瞬间感受的内容中很重要的一项就是有效处理顾客抱怨。因为对于一般的小事，顾客也不会很在意，但是当它严重到顾客要抱怨的时候，这件事就比较重要了，而处理的好坏，将直接决定顾客的去与留。所以，如何有效处理顾客抱怨将是让顾客建立正面瞬间感受的一个关键时刻。

有一次，松下幸之助收到一位大学教授的来信，信中极为生气地抱怨他的学校从松下公司购买的产品发生故障。松下幸之助看完信后，立即就请一位负责此项销售的高级职员到学校处理此事。起初，校方因为产品发生故障而很不高兴，但那位高级职员以诚心诚意的态度解释，并作了适当的处理，结果不仅令客户感到满意，同时还好意告诉那位职员如何去其他学校作销售。诚心诚意对待顾客抱怨的结果，换来的是一个做生意的新机会。

赫兹公司的一项业务是租车给乘飞机来该市的顾客，待他们回来乘飞机时再将车还回。光顾赫兹公司的多数是商人，对他们来说最重要的是速度。赫兹发现多数顾客都抱怨：尽管他们租车时服务速度很快，但还车时速度太慢，他们没有时间在柜台前站队等着还车。但如果赫兹在柜台多安排服务人员以减少顾客等待时间的话，经营费用又太高，对自己很不划算。赫兹想出一个办法，能使顾客顷刻还车。根据这个办法，顾客只要将车开到赫兹的停车场。车一回来服务人员就将“牌子”上的号码（挡风玻璃上设有车的编号）输入他手里拿着的电脑，这些电脑与主机电脑相连。等顾客走出停车场，令许多人吃惊的是，服务人员能叫出顾客的姓名，只问两个问题：你开了多少英里？你加过油吗？信息然后被输入便携式电脑，很快发票就打了出来。这种服务只需不到 1 分钟的时间，而原来则要等 10 分钟。这样就可以保障顾客不耽误飞机，并且省了赫兹公司 20％的费用。慢慢地，赫兹公司的名字越来越响，有更多的人接受它的服务。

应该明白这样一个道理：若要树立良好的形象，从而使生意兴隆，就应该重视顾客的抱怨，因为他们的挑剔，实质上是做好生意的极宝贵的材料。不少事情，只是因为有人督促、指责，才会无可奈何地去做。比如，买鞋的顾客看到稍微硬一点或随便哪里不合适的鞋子，便会说：“这鞋不行，别的地方有比你这儿更好的。”店铺如果对说这样的话的顾客不生反感反而高兴，并把这种闻过则喜、闻过则改的行为变成一种习惯，那么，一定会越来越受顾客欢迎，最终成为顾客心中的第一选择。爱挑剔的顾客，知道你采纳了他的意见，定会很高兴，不仅下次再来惠顾，而且还会给你做免费的广告宣传。所以，抱怨的顾客实在是帮助树立良好形象、开拓生意的最可贵的教员。

如何应对顾客抱怨的具体方法很多书中都有讲过，这里就不再多说了，在下面的内容中将给出一些优秀的公司是怎样建立自己的处理顾客抱怨系统的，这个启发将会更大。

位于图森市的维它那医疗系统公司是一家制造生物医疗器械和试剂的公司。这家公司创立了联机顾客数据库，要求销售员们了解顾客过去及现在对公司有哪些意见及解决的办法。这项数据库程序的设立为维它那公司及其雇员发挥了很大的作用，同时它也向顾客表明公司在为他们积极解决问题。“我们得到许多顾客的反馈，称赞我们解决问题的效率很高。”公司的顾客服务部监理说道。在生物医疗制造这一行出现的问题往往十分复杂，所以解决这些问题需要较长的时间。在该公司的顾客群中，大约有1 000名顾客希望参与解决问题，而剩下的人却愿意坐等公司想出办法。这家公司于是使用数据库把顾客的每一个问题分类记录下来，那些愿意参加解决问题的顾客可以组成一个解决难题的网络，彼此之间保持联系。当一个问题得到解决的时候，那些不愿参与的顾客则可以马上得到通知。

位于密歇根兰辛市的一家甲A职业棒球运动小联合会——兰辛·路格那茨联合会的拥有人汤姆·迪克森喜欢利用顾客的抱怨来改进顾客服务。为了鼓励顾客发表意见，他采用了这样的办法：给他的300名雇员每人发一个顾客抱怨记录本，让他们记录顾客的抱怨，不管这些抱怨是多么地不起眼。如果有人拒绝这么做，他就会被解雇。现在，被收集的顾客抱怨不断涌入公司，平均每一次比赛都有50起。对于顾客的这些抱怨，联合会都一一进行答复。现在，迪克森有了借以改进顾客服务的原始材料。在这一项政策下，从没有一个雇员被解雇。迪克森承认之所以告诉雇员如果不做记录就解雇他们，是为了让他们重视这件事。事实上他更喜欢胡萝卜政策：对于那些表现突出的雇员，公司给予一定的奖励。公司在职员的工资袋里放入顾客抱怨清单、相应的解决方法及记录这些抱怨意见的雇员名字。迪克森认为这种做法很棒，一线员工通过公司的这种反馈，可知公司一直在关注他们的调查结果，从而努力工作去改善服务。路格那茨棒球队是职业棒球小联合会在125年发展史上的第一家甲A队伍，在其参加比赛的第一年就吸引了50万名观众。迪克森确信正是他们选择了正确的对待顾客的方式。

要想提供出色的顾客服务，关键是要搞清楚顾客究竟想要什么，然后尽力满足他们的要求。

图 6-9

盖瑞·尼尔森认为要实现这一点有一个最好的办法，就是组建顾客意见委员会，以此可了解到顾客的观点。尼尔森经营着一家名为箭头苗圃的园艺中心，位于马萨诸塞州的韦兰市。离他最近的竞争对手就在半英里以外的地方。尼尔森邀请了 5～7 名收入不同并对他的公司也持不同意见的顾客，请他们做一年的顾客意见委员会委员。每年，这些委员和尼尔森会面 3 次，告诉他是否喜欢商店新摆的陈设，新产品的质量如何，雇员是否有礼貌，是否被热情服务。然后尼尔森会告诉他们下一步的计划是什么，并征求他们有什么意见。尼尔森说："一旦这些委员看到自己的主意被公司采纳，他们都非常激动。"尼尔森让他的员工推荐自己熟悉的顾客作为委员会候选人，而推荐者则可以担任一年的顾问。尼尔森每次与委员会成员见面都邀请他们一起共进午餐，一年 3 次，每次在不同的饭馆。此外，还发给他们每人一张价值 50 美元的奖券。当新一届委员当选时，尼尔森还动员当地的报纸刊登委员会成员的名单。"当然你不一定如此兴师动众，"尼尔森说，"只要心尽到就行了。"

以上三个案例，分别从建立顾客意见数据库、要求雇员必须收集顾客抱怨、成立顾客意见委员会三方面给出了解决顾客抱怨的方法，这些方法体现了一种更人性化的解决之道，相信只有这样的方法得以长期、有效地实施下去，才能从根本上提高服务质量。

⊙ 创造性的服务

在让顾客建立正面的瞬间感受的内容中还包括创造性的服务，因为这种服务总是让顾客有意外的惊喜。当然这也对店员提出了更高的要求，因为这需要店员在服务中及时捕捉顾客对某种服务的需要。

某位刚下飞机的乘客，没有料到机场外的天气很冷，于是从手提箱里拿出一件外衣。因为一只手要拿手提箱，所以只能用另外一只手系扣子，这让他觉得很费劲。这时，一名空姐看到他的难处，就跑过来，帮助他把扣子系好，并微笑着说："欢迎您的下次光临。"这位顾客感动不已。

在空中小姐的工作手册中也许并不包括为顾客系纽扣这项服务，只要她们把其他本职工作做好顾客也会对她们感到满意的，但是，当顾客感受到这样出人意料的服务时，他们就不只是满意了，他们是感动。

一位顾客入住一家五星级酒店，当他来到自己房间的时候，发现经理为他准备了一盘精致的饼干，并附上一张卡片“祝您在这里过得愉快”。这名顾客突发奇想，在卡片上写道“下次如果还能配上一杯鲜奶就更好了”。写完后就忘记了这件事。过几天他就离开了这家宾馆。等到第二次他又来到这家宾馆的时候，他发现他的房间里不光有一盘精致的饼干，还有一杯热的鲜奶，旁边仍有一张卡片，写道“这次您是否满意了呢?”顾客看了很意外，没想到自己的一句戏言竟被当真了。于是，他当然成了这个宾馆的忠实顾客。

一杯牛奶同顾客长期在这里住下去相比，哪个轻哪个重，自然不必说了，这就看出，一些小小的创造性服务可以带来多大的效果。

一名女性顾客推开一个时装店的门，走了进去，当店员看到她的时候，突然说：“刘小姐，您好，欢迎您的光临!”这位小姐很奇怪，她怎么会知道自己的姓呢？于是好奇地问了出来。店员告诉她，她上次光临的时候留下了自己的姓名和联系方式，所以，她们就记住了，等这次她一出现她们就认出来了。这位小姐很惊奇，没想到自己会被店员熟记于心。

这种服务方式，让顾客觉得自己和店员是朋友的关系，从而为连接顾客与商店的关系打下了坚实的基础。

创造性的服务不同于一般的服务，很难用某种模式把它描述出来，因为它是一种无法言传的技能，这就需要店员在日常的工作中不断地锻炼自己，努力让自己去感知顾客的心理需求，时间久了，相信就可以为顾客提供创造性的服务了。

图 6-10

法则 7

不等待原则

BU DENGDAI YUANZE

- 减少购物中的等待
- 缩短收银台前的停留

在购物中，顾客会不可避免地遇到一种状况——等待，无论是在挑选、试用过程中，还是在结账的时候。这个过程实在谈不上有什么乐趣，而且简直无聊透顶，顾客除了告诫自己耐心等待以外，别无他法。遇到顾客心情不好，或者一些性子急躁的顾客，他们往往会失去耐性而放弃购买，如果经常在你的商店碰到这种情况，你就危险了——他们可能把你的店列入印象不好的行列，如果能有其他选择，他们将会放弃你！

所以，好的商场会注意消除“等待”这一现象，尽量给顾客营造快捷、便利的购物氛围，让顾客把购买到喜爱的商品的好心情一直延续到家，甚至延续到以后的每次购物中。

1. 减少购物中的等待

我们这里所谈的购物中的等待，是泛指从顾客走进商场到付款前这段时间内、任何使顾客丧失耐性的情况，而不仅仅是试衣服时的等待等常见问题。这些情况处理得好不好，将直接决定顾客是否购买。

⊙ 看，他走了

在顾客眼里，营业员是商品的代言人，当然应该对自己的商品有系统而详细的了解。顾客希望从营业员那里获得对商品专业而到位的说明，如果营业员自己都说不清楚，顾客在失望之余，也会丧失“和你耗下去”的耐心。

这是在某个商场里的真实的一幕：

一个男性顾客在商店里推着购物车浏览着商品，忽然他在一个货架前停下来，看了一会儿，他抬起头向四处张望，一个店员在他的示意下走过来，然后他们交谈起来，不过这名男性顾客的表情明显透露出对店员回答的不满意。果然他在和店员又交流了一会之后，放下商品走开了。

是什么原因造成了这位顾客的放弃？很明显，是店员的解答说服不了顾客，顾客在耐性殆尽的情况下离开了。这种情况很常见。不少店员对自己售卖的商品不了解，以致在面对顾客的提问时都是支支吾吾或含混不清的，顾客迟迟得不到他们想要的答案，失去了继续探询的耐性，所以只有一条路可走了——尽快离开这个地方。

以前的店员如果这样，可以说那些店员是完全不称职的，因为以前商品的数量很少，比较容易记住。但是现在的店员如果这样，就不能用完全不称职来形容了，因为现在的店员面对的是花样繁多的商品，各种新概念又层出不穷，如果真的让他们全都记下来也有为难他们之嫌。可关键是顾客不会理解这种变化，他们只知道自己提出的问题应该有一个合理的答案，这将决定他们的购买。在经过几次询问之后，如果店员的回答还是不能说服顾客，顾客就不客气了，他们会选择离开。

尽管有上述客观原因，但今天的店员们也不应该就此打住，今天的店员们应该向酒店里的点菜师傅们学习一下。这些点菜师就是从服务生这个基础角色转变而来的。现今酒店里的菜式就跟商店里的商品一样名目繁多，食客们到酒店里去也常常是不知道吃什么好，在这种情况下，一些优秀的服务生就开始熟记各种菜谱，了解每道菜的特色、味道和做法，甚至于熟练说出所用原料产地，在面对顾客不知道点什么菜的时候他们就能给顾客恰当的建议。所以，为了让购物中的顾客也像那些食客一样满意，店员们应该努力锻炼自己对各种商品的熟悉程度。只有这样，才能够灵活应对顾客的各种提问，而不是在商品堆里不用功地抱怨顾客要求得太多。

⊙ 态度冷淡

如果说找一个词来形容以前的店员，很多人可能会想到“热情过火”。当顾客出现在他们面前时，他们会非常热情地招呼，然后就是步步紧跟；当看到顾客拿起商品时就猛烈推销，也不管顾客是怎么想的。的确，很多生意就是这么成交的，但是大多数顾客的反应是，他们不喜欢这种过分热情的推销方式，这种方式让他们觉得有些惊恐。

图7-1

也许正是这个原因，现在的服务业就倡导给顾客一定的自由空间，不要强行推销，要巧妙地引导顾客做决定。这是尊重顾客、赢得顾客满意的一种表现，但是如何把握这个尺度却让众多的店员吃尽了苦头，所以，一部分店员在掌握不好的情况下就走向了另一个极端——冷漠如冰。如果顾客不主动提出要他们服务，他们可能从头到尾都不参与顾客的挑选、购买……

一个调查机构对一个大型服务连锁店进行跟踪调查后，发现该连锁店平均只有25％的店员会与顾客沟通，剩下的75％都没有和顾客说过话或者进行其他方式的沟通。而对从该店出来的顾客的调查中也发现，他们在店中转悠时有沮丧感、无助感。

虽然说以前的店员有些过分热情了，让顾客没有自己选择的空间；但是现在的店员对于顾客来说，又有些过于冷淡了，也许除了一声“欢迎光临”之外，再听不到其他的声音了。其实顾客们还是希望听到招呼和推荐的声音，只是别夸张到像以前那样就行了。所以，想对今天的店员们说的是，别让你的顾客等你的招呼太久，如果等得太久，对不起，顾客只好“识趣”地走掉了。

⊙ 别让试衣服的人等太久

女人与衣服间的密切关系，导致女人试衣服的时间占了她们总购物时间中很大的一块，这就使得如何让女性顾客在试衣物的过程中感觉良好变得很重要，而减少等待感是其中最重要的一条。因为女性顾客在看到自己喜欢的衣服时总是希望能“一试为快”，但过长的等待会让女人的这种激情逐渐消退，尤其是一些高档衣服的试穿者，她们对等待更为敏感，因为她们的要求更高。

某些时候，服饰专营店会迎来它的销售高峰，试衣间外挤满了人，这时就意味着有很大一部分顾客会与等待亲密接触。那么如何让这部分顾客觉得等待并不是很难熬呢？这时候店员应该充分发挥他们的主动性。对于需要等候的顾客，如果店员能说上这样一些话语就再好不过了：“请您稍等一会，很快就会轮到您了。”“您可以去那边坐一会，等到您了我会叫您的。”“那边有我们公司的杂志，您可以先看一会，等轮到您的时候，我叫您。”而如果店员是很善谈的那种就更好了，他可以和等着的顾客随便聊着一个话题，这样顾客就在不知不觉中迎来了自己的试穿。

另外，有些商场里的公共试衣间的设置也是导致顾客等待的原因之一。那些公共试衣间都没有什么标志，而它们的外观也没什么特别醒目的地方，结果让顾客在寻找试衣间上面浪费了很多时间。在这种状况下，顾客的试穿心理肯定会打折扣的——每增加一段寻找的距离就等于消磨掉顾客的几分试穿兴趣。如果不巧你的店铺刚好存在这种情况，你应该怎么做呢？正确的做法是：告诉你的店员，当顾客决定试穿的时候，指出试衣间的正确位置；如果此时店中没有其他顾客，或者只有很少的顾客，那就应该带着顾客到试衣间或者离试衣间不远的地方（这个是可以做到的，一般的店铺都会有超过一个以上的店员，只有一个店员是不科学的）。

关于试衣间，有人曾对它进行过长期观察并且提出了一个有创意的想法，他认为现在的试衣间都过于简单和狭窄，而试衣间本身是应该也可以被设计得更好一些的。比如，我们可以将试衣间设计得更大些，以便陪着顾客一起来的人也能坐进去，让这个人也能积极地参与到顾客的试穿中去。很显然，对于一个很疲劳的陪同者来说，他的建议不会积极到哪里，但如果给他提供一个这样的空间——让他坐着发表意见，并且和自己陪同的人单独在一起讨论衣服被穿起来的效果，那么觉得满意的就不只是试衣服的那个人了，还有他的陪同者。

⊙ 去仓库拿货可不是散步看风景

经常逛商场的顾客可能都有过这样的经历，当货架上的商品不能满足他们的需要时，他们会询问店员还有没有其他种类或样式的，言外之意就是希望店员能去仓库看看，因为很多商品都可能是“藏”在仓库里没有摆上货架的。这时，大多数店员会同意顾客的要求。但是店员们的表现是怎样的呢？当顾客对店员说想要的某样商品货架上没有了，他会说“我去看看”（我们知道他是准备去仓库看看），然后走开。顾客也知道店员是去仓库了，所以顾客会等着，而且会一直望着店员去的方向，因为他们大多也会从那个方向回来。但是这时顾客要有点耐性才行，那些店员通常会花上一段时间才能回来，顾客还会看到他们返回时并不是急行过来的，而是慢悠悠地走过来，可能还和其他同事间或聊几句。所以，大多数顾客在提出这个要求之后都会经历一个不愉快的等待过程。

图 7-2

商场的仓库一般都很大（在这里我们不谈论小店的仓库，它们在这方面的问题并不突出），这就给拿货的店员们带来了麻烦，他们可能在拿一件货上要花很长时间，但这不应该成为店员们行动迟缓的理由，尤其有时还要加上一些人为造成的延误，那就更不应该了。那么店员如何通过自己的行动来削弱这些不利因素的影响，以及不让自己也成为其中的影响因素呢？首先，在准备去拿货的时候和顾客说点什么，比如说“请您等一会，拿货得需要一点时间”，这可以让顾客做好心理准备——准备付出耐心。到了仓库后，迅速找顾客要的商品，尽管仓库很大，但是在商品分区堆放上还是有一个规划的。找到顾客要的东西后还应该快点回到顾客身边，大踏步地行走会让顾客觉得店员是在替他节省时间，这就让他觉得等上一会是值得的。当顾客拿到商品的时候，店员应该说“不好意思，让您久等了，看看这是不是您想要的？”如果顾客能够听到这些话，相信没有哪个顾客会抱怨自己等了很久。

⊙ 当电话响的时候

很多店员在工作中都会遇到这种状况，当正在为顾客服务的时候，电话突然响起，于是他们像救火一样去接电话，等接完电话，之前服务的顾客却不知道哪里去了。他们不明白为什么顾客走掉了。问题的关键就在于，当店员去接电话的时候，他们有没有告诉顾客他们会很快接完电话。如果没有这种告知，顾客就会想："我要等多久呢?"结果大多数人都没有耐性去等待店员接电话。

每当遇到这种情况，合乎规范的做法是：当电话响起而店员又在和顾客交流时，店员应该先表示歉意，并告诉顾客稍等片刻；接着要快速接起电话，询问对方来电的目的，如果不是很紧急、必须马上处理的事情，就告知来电方稍后再联系，然后迅速回到顾客身边；如果是必须立刻解决的问题，也应该长话短说，尽快处理，别让顾客等太久；最后，在挂断电话的时候，再次向顾客致歉，感谢顾客的理解。如果能这么做，顾客就不会因为无法预计自己的等待时间而走掉了。

图7-3

和这种情况类似的还有店员的朋友突然来访、突然有点紧急的事要离开……这些都属于在与顾客的交流中发生的突发事件，对于这些，都可以参考上面给出的方法，这样你在顾客的眼中就是一个珍惜他的时间、为他着想的人。

⊙ 价格标签

有一项关于顾客在寻找商品价格方面的研究显示：当顾客在 1 分钟内无法看到某件商品的价格时，他们多数会选择离开，也许这段时间还可以精确至几十秒。这就说明大多数顾客对寻找价格的耐心是很短的（顾客对某件商品特别喜欢的情况除外，只有这时，他们才会锲而不舍地寻找价格）。但在许多商场里，有相当一部分商品价格都不明确，结果顾客自然无法为这部分商品付款。

以下几种情况是比较常见的：

没有打折后的价格。有的商品属于打折范围，但是店员在把原价画掉的同时却忘记了把打折后的价格标上去。在某个超市里，有一个牌子的罐头搞特价，但顾客只看到了被画掉的原价而找不到打折后的价格，有的顾客会去询问店员到底多少钱，大多数顾客在找不到现价的情况下，左右看看也没有发现店员的身影，最后放下商品走了。

有的商品干脆就没有价格标签。顾客无论是在商品上还是在陈列架上都找不到价格标签，等找来店员询问的时候，他们可能也不知道这件商品的价格。有位顾客本来对一个有精美毛巾送的化妆品很感兴趣，但是她怎么也找不到这件商品的价格，于是她去问店员。店员试图在这件商品的“同类”身上找到，但是它的“同类”和它一样，都“无价”。最后这个顾客只好放弃了这件商品，拿了其他牌子的产品走了。

两个价格标签。还有的商品身上有两个价格标签，但是在它周围又没有“特价”字样，所以顾客弄不清楚该商品是在继续特价呢，还是特价后又恢复原价了。有的顾客就会因为有两个弄不清楚的价格而决定不买，有的顾客就抱着侥幸的心理购买。如果结账的时候发现便宜的那个价格是最终的价格，他们就很高兴，认为自己买了一件非常划算的商品；但是如果那个贵的价格是最终的价格，他们的心里多少会有些上当的感觉。

综上，当商场准备给某些商品打特价时，一定要注意特价后的价格是否标清楚了，如果忘记标明新的价格，打特价的目的就达不到了。对于那些忘记标上价格标签的，一经发现就应该立即补上，不然，它可能成了顾客眼中永远的“弃儿”。而有两个价格标签的商品，在确定哪个价格为最终价格之后，一定要把另外的那个标签去掉，否则顾客很难抉择。

⊙ 提高接触率

现在的商场为了节约成本、提高利润，开始减少店员数量，结果是当顾客需要店员帮助的时候，他们要花比以前长得多的时间找店员。可以看见很多顾客在商店里推着车来回走，想找人帮忙，但有时候就是找不到，或者找的人无法提供帮助，很快他们变得怒气冲冲。男性消费者的反应尤其强烈，他们会很快决定离开这里去别的店。

图 7-4

有一个研究机构通过对许多服装店的研

究后得到一个规律：如果店员主动与购物者联系，商店的成交率就会上涨50％。也就是说，和店员交谈的顾客买东西的可能性比不和店员说话的顾客要高一倍。店员与顾客接触得越多，成交率就会越大。这是在商业界削减管理费用，减少店员的情况下一个意义重大的销售方法。

增加店员与顾客接触的次数，有人对此的理解就是当顾客一走进店里就万分热情地迎上去，然后步步紧跟，顾客每拿起一件商品就使劲推销。这种做法无须分析，在销售领域里它已经被证明是错误的。准确的做法是店员应该比以前更注意观察顾客的表现，在他有需要的时候及时出现，同时给予帮助。

2. 缩短收银台前的停留

当顾客挑选完需要的商品后，他们会推着购物车来到收银台前，可以说，此时他们的购物兴致已经基本消失，他们最大的愿望就是快点买单，然后回家或者去其他的地方，没有人想在收银通道里待上很长时间。所以，根据顾客的这种心理，商场在收银过程中应该提供方便、快捷的服务，排除影响提供优质服务的因素，不让顾客觉得结账的过程“路漫漫其修远兮”。

⊙ 设置快速收银通道

商场对顾客的期望是他们买越多的东西越好，但并不是所有的顾客都会帮助商场实现这个梦想，有的人就买那么一点东西。所以，这部分人在排队结账的时候就和那些买很多东西的人发生冲突了。如果让他们排在前面，那当然好了，但先来后到的规则不允许他们这么做。大多数人都有过这样的经历，有时候只买了很少的东西，但是却不得不排在一个买很多东西的人身后，看着他的东西一样样地被结账，真是一种煎熬。

对于这种情况，设置快速收银通道是一个聪明的举动。这种方法很人性化、很合理，买得多的人排在一个队伍里，买得少的人排在另一个队伍里，各自在相应的范围内结账，方便了有不同需求的人。

但这个做法似乎正在失去它的意义。在很多大卖场里，快速收银通道已经变得和其他的收银通道没什么不同了，下面这些场景可以证明这一点：

一个顾客只买了一瓶酸奶，打算直接从快速收银通道结账离开，却发现在这里排队等候的其他顾客，每人推车里的物品堆得如同小山似的。

一个顾客选购了几个雪糕，然后排到了快速通道结账队伍的队尾，但看着前面排队的人推车里堆积如山的商品和队伍缓慢地移动的速度，他又无奈地把雪糕放回了原处。他说：“如果一直等下去的话，雪糕肯定就化掉了。”

一个上了年纪的阿姨拎着速冻食品，一副焦急样：“都排了20多分钟了，速冻饺子都软了。”

图7-5

在调查中发现，许多大卖场基本上都设有“快速通道”或“提篮通道”，有些大卖场还在收银台处挂牌标明“5件（有的是3件）以下购物收银”等标志，但往往有名无实，收效并不明显，原因在于不少顾客选择结账通道时都是哪里人少就在哪里排队的，并不会去区分普通结账通道和“快速通道”，收银员也没办法。卖场方面尽管也经常接到顾客有关快速通道的投诉，但苦于没有妥善解决的办法，也就只能顺其自然。

如果不能发挥快速收银通道的作用，商场还不如不设置，不然本意是为了方便顾客，结果却招来顾客的抱怨，那就不妙了；如果还是希望能通过这种方式满足顾客的不同需求，商场和店员就应该坚持原则，时间久了，相信顾客就会理解这种做法，并自觉遵守了。因为这种做法本来就是为顾客着想的，并非是商场自己要得到什么。

⊙ 检查收银机

收银机在收银过程中具有非常重要的作用，所以，它是不是完好的，就决定了顾客会不会久等。它没问题，顾客就可以很快离开收银台；它总是出故障，那顾客就只好留在收银通道里了，也就意味着顾客等的时间变长了。一旦出现这种状况，你不会看到哪个顾客是兴高采烈的，无可奈何的等待已经算是一种最佳状况了，而另外一些顾客则会显得很愤怒。一个顾客在经历了一次收银等待之后写了下面的日记：

2004年×月×日　　星期×　　晴

晚上一个朋友结婚，上午去帮忙买胶卷，听说离我住处不远的地方××大超市在装修了半年之后开业了，决定去那里购物。

进去，找到要买的东西，找出口排队。天哪，收银口哪里来的这么多人，慢慢排吧。半小时慢慢地过去，终于快到我了，前面还有一个人。

糟糕，我排的队伍出问题了，其他的几个收银通道也不正常。广播开始通告："部分收银通道故障，所有会员卡、信用卡均不能使用。"惨了，我带的现金不够。一堆人开始对着收银员发泄不满，要求找经理什么的。可是半天没人理我们。收银没恢复，就算恢复了不能刷卡我还是没法买东西。我愤怒了，拿东西重重地敲桌子的同时估量了一下 POS 机的价格，没敢朝它撒气。还是没人来，更生气了，这次我快速计算了一下我拎的东西，嗯，没什么大事。我吼了几句，还是没人理。

图 7-6

现在我不怒了，我拎起东西直接走了。可惜，后面没人响应，他们还在等，这个世界良民还真多！打了个的士回家，还拿了个超市的购物篮。

现在的大多数顾客都担任了"良民"的角色，只有少部分顾客会像上面的顾客一样"如此愤怒"。但这种状况不会持续很久，顾客已经变得越来越重视自身的感觉，当他们的要求不被重视，众多的上帝就要集体发怒了。山姆·沃尔顿（沃尔玛创始人）曾说过："我们的老板只有一个，那就是我们的顾客。是他付给我们每月的薪水，只有他有权解雇上至董事长的每一个人。道理很简单，只要他改变一下购物习惯，换到别家商店买东西就是了。"所以，请听从老山姆·沃尔顿的话，注意收银机的表现——别让属于你的顾客跑到别的店去。

⊙ 有序

有些国家的购物者似乎并不介意拥挤着结账，但大多数国家的人都还是习惯排成队伍。混乱的队伍让人感到讨厌和紧张，但如果顾客知道他们会按照先来后到的顺序享受服务，就会很放心，感觉排队的时间也没那么长。这就是缩短时间的奥秘——排除不确定因素，减少感觉上等待的时间。

但是这里面存在一道数学计算题，就是 1 个排着 15 个人的队伍和 3 个各排着 5 个人的队伍，哪个会更好一些？现在的商场多采用了后面一种做法，将大多数顾客分散到不同的收银台上，商场也为此安装了很多的收银台。可是，如何找到排队人数不是很多或者某个队伍里的人要买的东西最少也成了一个问题。如果让顾客自己去找哪个队伍结账速度会比较快，他们可能会错过能最短时间结账的队伍。

一家超市在这方面的做法值得借鉴。每当结账的人流量很大的时候，该超市都会派出一些工作人员专门在收银台附近走来走去。他们的作用就是，当他们发现哪个收银台上人数很少，而周围其他的收银台人数很多的时候，他们就会建议排在长队伍后面的顾客到其他的队伍中去。这样，整体收银时间就缩短了，顾客也更满意了。

⊙ 分散顾客的注意力

利用一些物品或陈列分散顾客的注意力，也是减少等待感的一种好方法，这会让顾客觉得等待并不是唯一的选择，他们还可以做些其他的事情。

陈列宣传商场信息的小海报。现在许多商场在顾客购物金额上都会做一些文章，比如说买满××元就可以有什么样的优惠。这些信息不光是在顾客走进商场和经过商场的时候做，在顾客准备走出商店的时候也应该做。因为在购物前对这些信息的浏览，顾客获得的信息是“买多少东西可以得到多少优惠”；而在购物即将结束的时候，由于许多计划外的购买，这时候顾客得到的信息就是“我买了多少东西，我得到的是哪种程度的优惠”。宣传单发挥的是完全不同的作用。所以，在收银台附近陈列这些信息，就让顾客把注意力转移到研究自己有什么好处上了。

陈列报纸。现在大多数报纸的价格都很便宜，而且种类也很多，如果在收银台附近放一个报纸陈列架，上面配备多种报纸，想必顾客也不会觉得等待是很无聊的事，这个办法对男性顾客尤其有效。不过对于那些陈列的报纸，千万别把年初出版的报纸摆到年尾，或者报纸破烂、脏污得不像话，这样的报纸只会给商场减分。

配置电视。电视可以播放有关商品的广告，也可放些影碟、MTV 等，反正是让顾客的眼睛、耳朵不闲着。事实证明，这种打发时间的方式常常是最有效的。但是电视不要放得太高，否则顾客可能因为仰头时间久了脖子痛而拒绝看电视。在有的商场里，他们常常将电视吊在很高的位置，结果几乎没有人去看，因为人们需要仰头才能看清电视节目，这时，电视的设置就是一种浪费。

缅因州法尔茅斯的旗舰电影院在队伍旁的墙壁上安装了几台电视机来解决排队无趣这个问题。这些电视通常会放映将要上演的大片预告。总经理说，在生意繁忙的时候，尤其是周末，预演使队伍更有秩序。“因为所有的人都在盯着画面，他们常常会感到奇怪，时间过得可真快啊，他们都没想到自己在排队。”短片大约每月换一次，这是一笔不小的开支，但却值得。“顾客对这种做法很欣赏，这使得这个排队过程更加有趣。”另一名负责人说。

安放查询机。也可以在收银台前用滚动屏幕或者自动查询价格的设备让顾客查询所购商品的折扣、特价等情况，了解收银员的服务记录（对服务员也是个无形的监督），甚至可以让顾客自己先算一回总价，让顾客为付款做好准备。

陈列即兴消费品。光秃秃的收银台也许方便了人们看清楚排列的队伍，或者让人心里感觉敞亮，但是它也造成了单调感。等待结账的人眼中只有队伍，这有什么好看的呢！但如果收银台周围还能有一些即兴消费品，等待的感觉就不那么糟糕了。在人们与这些即兴消费品的互动中，时间就过得快了。但在这部分商品的陈列上要注意两点：第一，商品陈列的方向应该面向顾客而不是收银员。要知道，面向收银员就失去了陈列这部分商品的意义，因为这时只有正在结账的顾客能看到这部分商品，而正在结账的顾客一般都不会再买东西了。很多收银台在做这方面的陈列时都犯了这个错误。第二，陈列架的高度。收银台处毕竟不同于商场里，所以，陈列架的高度以不挡住大多数人水平向前的视线为宜；摆放在最低端的货品也不应该出现让人弯腰或者蹲下的情况，在收银台附近那片狭小的空间里，顾客会排斥这种做法的。

顾客在等待的时候很容易焦躁，所以，在这个时间里给顾客安排点小节目，就会削弱顾客对时间的感觉。

⊙ 与等待的人聊聊天

一般来说，在收银的时候，如果有人能与顾客交流，那么与没有交流相比，顾客的等待时间就不会显得那么长。

某外资大型连锁店的经理就很喜欢和顾客交流，每当出口处的队伍变长了一点，他就会走出自己的办公室，来到商店前，既像一个加速完成紧急计划的稽查员，也像一个戏剧演员。他的出现似乎使收银台前的队伍移动加快了，同时他也自得其乐。他会告诉顾客有哪些优惠，或者对顾客的购买发表一点自己的意见。总之，因他的存在，不仅缩减了顾客感觉上的等待时间，实际上也缩减了真实的等待时间。

在国外，下至店员上至管理人员，都很乐意与顾客打交道，并认为这是他们最重要的工作之一。但是在国内，店员以及管理者都不太愿意与顾客打交道。

这种对顾客有利的事，我们应该效仿一下。收银员在结款的时候，应该和正在结账的顾客说说话，或者对等待着的第二个、第三个顾客说说话；店里的管理者也不应该脱离顾客，应该经常走出办公室，和顾客聊聊天，相信还可以从中发现很多对商场有益的东西。很多习惯了的事一开始也都是从不习惯开始的，所以，我们的服务人员和管理人员不应该拒绝改变。

⊙ 把实习安排在收银高峰期是不明智的

收银台里的人员流动和其他地方的人员流动没什么两样，也许昨天看到的某个人今天就辞职了，这就使得收银台里面也不断有新面孔出现。他们看着老收银员操作，用大脑记录着整个收银程序。有时候新手还要实际操作一下，老员工在旁边给予指导。这种教导方法本身没错，但是这种教与学的过程选择在何时就会有对错之分了。

图 7-7

今年中秋节的前夕，某超市里挤满了人，排队结账的人自然也很多，这个时候，正是该发挥老收银员熟练的收银技术的时候。但是该商场安排了新手在这个时候进行实践。新手毕竟是新手，动作不是很熟练，而且有些程序又掌握得不是很好，比如说怎样进行银行卡消费的结算。结果因为新手的加入，增加了顾客等待的时间，许多急着回家的人纷纷为那么慢的收银速度抱怨起来。

教授新手，应该选择在人少的时候，以及交易量不是很大的时候，这个时候，顾客也不会介意多等待一会，也许看着新手笨拙的动作还让他们觉得很有意思，而新手也不会因为看到那么多人而紧张得忘了怎么做。但选择在收银高峰期就不明智了，得到的效果也多是负面的——新手手忙脚乱，顾客抱怨不止，收银速度缓慢无比……

⊙ 避免一个收银员制造的等待

每到节假日，商场的人气总是最旺的，收银台自然成了最忙碌的地方。常常可以看到收银员在同一堆又一堆的商品和川流不息的顾客作“斗争”。如果说收银员是由机器做成的，那他就会保持一个稳定而快捷的收银速度了。但目前还没有听说过或看到哪个商场采用了这种方法。所以，收银员体能的消耗就不可避免，而且时间越长消耗越大。对于顾客来说，也就意味着排队的时间要加长了。

但是，如果能给他们加上一个帮手，相信就能解决这个问题，并且收银速度还会加快。一个专心负责收银，另一个帮忙做些装袋、告诉顾客商场优惠信息等的工作。这样，一次次的收银就在两个人的友好合作中轻松而完美地完成了（一个收银员常常会忙得忘记本应告诉顾客的一些事）。

图 7-8

在沃尔玛，每当公司最忙的时候，从地区运营总监、财务、人力资源、市场等各部门的经理和主管，一直到办公室的秘书，都会放下手头的工作，换下笔挺的套装，奋不顾身地投入到工作繁忙的卖场中。人力资源中心的女孩头戴白帽卖起“长法棍”；北方运营总监笑容可掬地当上了收银员；商店经理则穿上工作服，将整卡板的可乐从后仓运到卖场……

所以，在最忙的时候别让一个收银员在那里唱独角戏，那样看似节约了人手，实际制造了麻烦。如果员工人手不够，管理人员也应加入进去。同为顾客解决问题相比，还有什么比这更重要的呢？

⊙ 收银中的革命

革命一：

面对超市中长长的队伍，科学家们发明了一种新装置，将让排长队等着付款成为历史。顾客只需要通过一个像机场扫描仪一样的装置，由扫描仪读出手推车里所有商品的价格，并在扫描的过程中计算出价钱，从顾客的信用卡里划掉钱即可。

生产厂家把一个和针尖差不多大的芯片插入到每件商品中，里面储存着包括价格在内的大量信息，芯片能发出一种无线电波，扫描仪的天线接受到这种电波，一次就能读取数十件商品的信息。在美国，不少商店已经开始使用这种装置，大大提高了交易效率。沃尔玛也正在试验这种装置，而英国的商场也将在 5 年内全面使用这种扫描仪。

发明这项技术的是信息技术公司“富士通”。富士通公司理事罗杰·坎拉斯说:“大约 10 年前，马克与斯宾塞公司找到我们，问我们能不能为他们出售的每件商品提供信息。他们要求新的装置能提供商品的所有历史情况，比如什么时间生产的，哪家工厂生产的，通过哪个港口进入英国的。一开始，芯片的费用比较高，在过去的一两年里，这种芯片才变得便宜，可以广泛用于商品出售。一旦货物上了货架，就可以用一个手提装置探测到芯片，并能收取它发出的无线电信号。”

坎拉斯说:“这种技术一次可以读取 50～100 件商品的信息，满满一推车的商品一次就可以读完，最后，顾客可以用一张与扫描仪兼容的信用卡付款，当顾客通过时，扫描仪自动把钱划走，人们再也不用排队付钱了。如果你穿着从某商店购买的衣服再次进入那家商店时，仪器会识别出来，这样公司方面就可以提供你喜欢的商品。”芯片被嵌入到商品中，无需电池提供能量，而且有一种传感器可以监视商品的数量。如果出售完了，可以再订货。

革命二:

英国著名的 THE BODY SHOP 健康及美容用品连锁店为了解决店中排队的问题，经过很长时间的研究和试验，发明了一套专为零售商而设的流动销售及付款系统，简称为流动 POS 系统。

该公司的负责人说，以往顾客在店内购物，最后结款都必须到收银台去，而每到傍晚或者假日，排队付款的顾客更要等上 5～10 分钟。为了提供更佳的客户服务，他们决定试用流动 POS 系统。

店中的店员会随身携带一部掌上电脑，当顾客购物结束时，不必去收银台，只要利用他们的掌上电脑，便可即时计算出顾客所选购货品的总值，并从设于店内不同角落的打印机列出收据，整个过程不超过 10 秒。

流动 POS 系统在 THE BODY SHOP 试行多月，公司的负责人对它的成效感到满意，并说新系统对提升每个店的营业额及其生产力都有一定帮助。

这些发明是收银中的革命，但是它们的成本以及其他的一些问题将会影响到它们的普及。最大的可能是，发达国家将会最先和最充分地享受到它们，而发展中国家或者不发达国家则要等上更长的时间。所以，前面列举的情况还会在较长时间内存在。